D1402203

LA CHATTE

Né en 1873 à Saint-Sauveur-en-Puisaye, dans l'Yonne, Sido-nie-Gabrielle Colette vit dans le Loiret, à Châtillon-Coligny, jusqu'à son mariage avec Henri Gauthier-Villars, dit Willy, en 1893. C'est à l'instigation de celui-ci qu'elle écrit et publie sous le nom de Willy la série des *Claudine* de 1900 à 1904.

Séparée en 1906, elle devient mime et continue à écrire en signant Colette Willy, puis, à partir de 1918, de son seul nom de Colette. Elle publie des romans, des souvenirs et des articles dans le journal *Le Matin*, dont le rédacteur en chef, Henri de Jouvenel, devient son mari en 1912.

Divorcée pour la deuxième fois en 1924, elle épousera Mau-rice Goudeket en 1935. Auteur d'une œuvre abondante et d'une grande délicatesse, Colette entre en 1936 à l'Académie royale de Belgique. En 1944, elle fait partie de l'Académie Gon-court.

Elle meurt à Paris en 1954.

COLETTE

(De l'Académie Goncourt)

La Chatte

ROMAN

Préface De Nicole Ferrier-Caverivière

HACHETTE

PRÉFACE

La Chatte paraît en 1933, onze ans après *La Maison de Claudine* et onze ans avant *Gigi*. Ce roman se situe donc au cœur de la maturité de Colette dont nul ne conteste plus le talent depuis le succès de *Chéri* en 1920. L'auteur des *Claudine* est devenue si parfaitement maîtresse de son art qu'elle peut désormais s'écarter des chemins trop immédiatement autobiographiques pour emprunter ceux de la fiction et de la création romanesque. Cependant, même entre les pages d'une nouvelle inventée, Colette se dissimule : car elle « n'a jamais écrit que son histoire, elle n'a jamais mis en scène que les personnages et les expériences de sa propre vie. Sous la surface anecdotique, comment ne pas sentir très vite l'eau profonde? Celle d'une expérience fermée sur elle-même, où tout est cohérent, analogue, convergent. Une expérience qui fournit une grille à laquelle n'échappe aucun élément » (G. Picon).

Roman de la jalousie, *La Chatte* est, plus encore, une implacable tragédie de l'amour, qui, au-delà de la fiction, donne à voir l'âme

I

passionnée d'une Colette bouleversante et souffrante, éprise d'absolu et de pureté, qui sait que l'art seul permet d'atteindre aux rives d'un monde apaisé.

Une insatiable avidité

Paru en feuilleton dans *Marianne* du 12 avril au 7 juin 1933, publié chez Bernard Grasset dans la collection « Pour mon plaisir » dès le 12 juin 1933, comme en témoigne une lettre inédite de Colette à Germaine Patat, *La Chatte* vient à un moment où l'écrivain semble avoir enfin trouvé dans son existence quotidienne une certaine stabilité. Après les amours tumultueuses et douloureuses, scandaleuses aussi parfois, qui l'ont liée à Willy son premier mari, à Mathilde de Morny dite « Missy », à Henry de Jouvenel dont elle se sépare en 1923, Colette vit désormais avec Maurice Goudeket, rencontré en 1925, amant et confident plus jeune qu'elle de seize ans, qu'elle nomme son « charmant compagnon » et son « meilleur ami », et qu'elle épousera le 3 avril 1935. Maurice Goudeket, qui l'accompagnera jusqu'au bout de la route, lui apporte alors, jour après jour, la paix si longtemps recherchée.

Mais la sérénité d'un moment de vie ne suffit ni à faire taire la curiosité qui habite Colette depuis toujours, ni à gommer les bouleversements passés. C'est pourquoi, si dans les années 1930, la vie de Colette paraît exempte de tourment, l'univers intérieur de la femme-écrivain reste bouillonnant de passions, de quêtes, d'élans et d'interrogations. Portée par une avidité qui se montre plus insatiable que jamais, elle redouble d'activités. En 1932, au 6 rue de Miromesnil, elle ouvre un institut de beauté. De cette activité nouvelle, elle attend ce qui lui importe tant : la connaissance d'autrui. Car pour elle, ce bel art de femme qu'est le maquillage donne à lire la personnalité d'un être plus qu'il ne la cache, et ne masque les traits de la nature que pour mieux exprimer une vérité intérieure. Sous la « petite bouche rouge peinte », Colette cherche à saisir une âme : « un de mes plaisirs, c'est la découverte », affirme-t-elle[1]. En même temps, elle multiplie les conférences à travers la France. Le 22 novembre 1932, elle écrit à Hélène Picard :

> Je parle ce soir à Caen et il faut que demain je sois à Paris à 2 h 1/2 aux magasins du printemps où je fonctionne, maquille, démontre et vends pendant 3 jours. Que restera-t-il de moi? Car le 25 au soir, une valise à la main et une colombe sur l'épaule, un myosotis dans le cœur, je partirai pour Dijon et cinq villes de l'Est... Quelle étrange existence!

Au début de janvier 1933, elle repart, de Toulon à Bordeaux, de Pau à La Rochelle, et c'est comme dans un tourbillon qu'elle soigne une attaque violente de grippe à forme pulmonaire.

En 1932 encore, vivement intéressée par le cinéma, elle travaille aux sous-titres du film *Jeunes filles en uniforme* de Léontine Sagan, et

---

1. Cité par Nicole Ferrier-Caverivière, préface de *Colette et la mode*, édition Plume, 1991.

en 1933 elle écrit les dialogues du *Lac aux Dames* de Marc Allégret. Elle ne renonce pas pour autant à son intense activité de critique théâtrale et publie de nombreux articles en ce domaine qu'elle réunira de 1934 à 1937 sous le titre de *La Jumelle noire*. Enfin, pendant l'été 1932, elle rédige un article sur Saint-Tropez pour le journal *L'Intransigeant*, puis elle corrige les épreuves de *Prisons et Paradis*.

C'est au milieu de toutes ces activités, qui disent assez sa soif de connaissance et la vigueur de son esprit toujours aux aguets, qu'elle travaille à *La Chatte*. A la fin de janvier 1933, elle indique à Hélène Picard : « Et le petit roman *La Chatte* que je grattouillais en même temps... Tu connais ma vie. » Enfin, le 1er mai 1933, depuis son appartement du *Claridge*, elle écrit à la même amie :

> Mon Hélène, je sors de mon cauchemar, j'ai fini hier mon petit roman. Les dernières semaines m'ont été si dures que j'en ai honte. Couchée par hygiène, cloîtrée. Des journées (et des nuits) de onze heures de travail. Plus d'une fois, la semaine dernière, j'ai vu commencer le jour. Mon Dieu, que le travail m'est malsain!

De l'intrigue au miroir du réel

L'accueil du public et de la critique à ce nouveau roman est loin d'être unanimement enthousiaste! Ceux qui jugent du livre d'après l'intrigue ne peuvent assurément qu'être déçus. Il s'agit en effet d'un fil mince et pauvre tissé à partir d'une simple anecdote que Colette

IV

recueillit à Saint-Tropez; un jeune marié fit un jour ses confidences à l'écrivain, comme elle le rapporte dans *Nudité*, petit texte écrit en 1943 pour les éditions de la Mappemonde à Bruxelles et paru dans *Belles saisons* :

> La première nuit de ses noces, (Didier) ne négligea rien pour éblouir sa femme toute neuve. Et pour commencer, il lui enseigna que l'état de nudité est un état naturel, souhaitable, exaltant et commode. (...) Dès le lendemain, l'étonnement fut pour lui. Car la petite épouse, convaincue, se promenait déjà sans voile. (...) – Vous comprenez, conta Didier, (...) que j'en étais choqué, que j'aurais voulu ma petite camarade déconcertée des premières heures.

De là vient donc la trame du roman, qui tient en quelques lignes : Alain épouse Camille qu'il connaît depuis plusieurs années. En attendant que son appartement de jeune marié soit terminé, il est contraint de laisser à ses parents sa chatte Saha qu'il aime profondément. Mais celle-ci lui manque et il ne peut s'empêcher de revenir la chercher. Camille devient jalouse de la chatte et tente de la tuer. Découvrant le geste de son épouse, Alain n'hésite pas alors à la quitter : il emporte la chatte avec lui et retourne chez ses parents.

En s'arrêtant à cette histoire schématique, on pourrait croire que Colette est absente de son œuvre. Et ce serait une erreur, car les reflets du réel qu'elle a su capter révèlent à chaque instant sa personnalité, sa présence, ses expériences. Ainsi, à travers Alain qui rompt par la fuite avec la vie d'homme pour revenir à la source, n'est-ce pas un peu Léo qui paraît, ce frère de Colette habité par « une fantaisie qui l'isolait du monde », ce « sylphe (qui) n'est attaché qu'au lieu natal, à quelque champignon tutélaire, à une feuille recroquevillée en matière de toit », et qui « parcourt un domaine mental où tout est à la guise et à la mesure d'un enfant » (*Sido*)? Quant à Camille, jeune fille moderne aimant l'aventure, les voyages et les automobiles, elle rappelle comme en écho Colette de Jouvenel, si l'on sait lui ôter ses quelques accents de vulgarité qui l'éloignent de la fille de l'écrivain. Colette de Jouvenel, qui a vingt ans en 1933, « court seule les routes dans sa voiture, explique Colette à Hélène Picard, conduit admirablement, couvre cinq cents kilomètres entre le déjeuner et le dîner »; lorsque son père Henry de Jouvenel est, précisément à cette époque, nommé ambassadeur de France à Rome, elle refuse de le suivre, préférant sa vie libre à celle d'une « jeune fille de l'ambassade qui passe, en robe du soir, les tasses de café et les verres de fine dans les salons ». Enfin, comment oublier celle qui, selon l'expression même de Colette, pose « en gros premier plan » dans le roman : la Chatte dernière? Dans *Près de Colette*, Maurice Goudeket explique :

> Deux bêtes ont été mêlées à notre vie, la chienne bull Souci, et la Chatte. (...) Nous avions acheté (celle-ci) à une exposition féline avenue de Wagram, ou plutôt, comme disait Colette, c'est elle qui nous avait achetés. (...) Ma voiture étant découverte, je m'inquiétai d'un panier, d'un collier, d'une laisse. « Pourquoi faire, dit Colette, elle sait déjà qu'elle est à moi. » (...)

VI

Elle est non seulement le modèle du personnage félin de *La Chatte*, mais encore ce livre n'eût pas été écrit sans elle.

Ce témoignage se trouve corroboré par Colette elle-même. Le 14 juin 1926, elle indique à Marguerite Moreno :

Ma fille est près de moi, hier soir je l'ai présentée à Andrée et à Bernard, ainsi que la chatte. Fille et chatte ont obtenu le succès qu'elles méritent.

Et en juin 1933, tandis qu'elle raconte à Hélène Picard qu'une rainette verte a traversé en trois sauts le balcon de son appartement du *Claridge*, elle précise :

Pauline l'a vue, la chatte l'a vue! La chatte s'est pris le front à deux mains, s'est écriée : « Mais je rêve! » et elle avait les yeux hors de la tête.

Dans *La Naissance du jour* en 1928, dans la nouvelle *La Treille muscate* (1930), recueillie dans *Prisons et Paradis*, dans *Amours*, datant de 1934, qui paraît dans *Les Vrilles de la vigne*, Colette ne manque pas d'évoquer « celle qui a refusé les noms de reine, les puérils diminutifs, et qui s'appelle – comme s'il n'y en avait qu'une au monde – *La Chatte* ». « Mon modèle », « mon amie », ainsi la désigne encore Colette, qui avoue dans *L'Etoile Vesper* :

Quand je cesserai de chanter la Chatte dernière, c'est que je serai devenue muette sur toutes choses.

La Chatte mourut le 19 février 1939 et ne fut

pas remplacée[1]. Peu d'êtres humains occupèrent une telle place dans la vie de Colette. Voici sans doute pourquoi Saha la Chatte non seulement est la protagoniste du livre, mais aussi se trouve dotée d'une personnalité aussi complexe que séduisante.

A regarder miroiter les eaux les plus limpides du roman, on voit donc jaillir des correspondances entre l'œuvre et l'existence de l'auteur. Mais l'interprétation strictement autobiographique reste réductrice, tandis que la fiction animalière sert à l'expression d'une sagesse et aide l'écrivain à « dire, dire, dire tout ce qu'(elle) sai(t), tout ce qu'(elle) pense, tout ce qu'(elle) devine, tout ce qui (l)'enchante et (la) blesse et (l)'étonne ». Entre la chatte et Colette, une intense complicité existe, qui, prise dans le tourbillon des métamorphoses de l'art, mène jusqu'à la méditation. Le préjugé qui fait parfois de Colette une conteuse d'histoires de bêtes un peu mièvre et facile, est aisé à pourfendre. « A fréquenter le chat, on ne risque que de s'enrichir », écrit-elle dans *Les Vrilles de la vigne*. Et dans *Le Fanal bleu*, elle affirme :

> Ce qui concerne le chat, dans mes souvenirs et dans mes œuvres, n'est jamais un badinage.

1. A la mort de la Chatte dernière, Colette n'hésite pas à exprimer sa tristesse à Yvonne Brochard en ces termes : « Ma chère Yvonne, Il a fallu faire donner la piqûre mortelle à la Chatte, hier. Nous ne sommes pas très courageux depuis ce temps-là. La petite bête était toute semée de tumeurs et son train de derrière se paralysait. Vous êtes une des rares personnes à qui j'ai eu besoin de le dire. Il faut bien que ça passe. Mais c'est amer. (...) COLETTE. Ne m'en parlez pas quand vous m'écrirez. » (Lettre citée dans *Cahiers Colette*, n° 13, 1991, p. 85.)

On sait avec quelle insistance, avec quelle variété et quel talent, Colette campe dans ses livres tant de portraits de chats! Ici c'est la Shâh, « princesse du harem », qui, « ardoisée le matin (...) devient pervenche à midi et (...) se fait ombre, fumée, nuage » (*La Paix chez les bêtes*); là vient Fanchette qui « n'a de goût qu'aux nuits claires où, assise, droite, correcte comme une déesse-chatte d'Egypte, elle regarde rouler dans le ciel, interminablement, la blanche lune » (*Claudine en ménage*); oubliera-t-on Béni, « vêtu comme une fée », semblant « miraculeusement à l'aise au sein de son nuage qui sur les flancs battait à chaque pas et l'habillait par-derrière d'une immatérielle culotte floconneuse » (*Le Fanal bleu*)? Et l'on pourrait multiplier les exemples. Dans *La Chatte*, en une technique quasi impressionniste, Colette donne à voir à travers cette créature animale tout un ensemble de valeurs qui ouvrent son propre monde intérieur. C'est l'amour du beau qui surgit avec Saha la chatte « dite des chartreux, pure de race », achetée pour « sa figure parfaite » dont les yeux sont « d'or pur » et l'oreille « ourlée d'argent »; c'est la vertu de la solitude qu'enseigne cet être orgueilleux et fier, qui a besoin qu'Alain lui dédie « la nuit, la liberté, la terre spongieuse et douce, les insectes veilleurs et les oiseaux endormis »; c'est la pudeur et la liberté qui entrent encore avec elle dans l'univers du roman :

> Saha (...) fût morte plutôt que de jeter un second cri.

Son silence sait dire l'indicible, son sourire fait

sentir le mystère, son regard fixe l'insaisissable :

> Le bel œil jaune de Saha, envahi peu à peu par la grande pupille nocturne, visait dans l'espace des points mobiles, invisibles et flottants.

Comment, ouvrant naturellement les portes du rêve, le chat ne ferait-il pas pénétrer dans un royaume irréel et merveilleux où le bonheur se trouve au rendez-vous? Dans une lettre du 8 novembre 1949 adressée aux Petites Fermières Y. Brochard et Th. Sourisse, Colette indiquait qu'elle « voudrait vivre parmi une autre race que la race humaine » : le chat son complice et son modèle ne lui a-t-il pas montré le chemin? D'ailleurs, dans *La Naissance du jour*, elle va jusqu'à écrire : « Je rêve que j'épouse un très grand chat. » Comme Sido, si souvent comparée à une mère chatte, la Petite et ses frères ne cessent, dans l'œuvre colettienne, d'être évoqués dans leur personnalité féline : ici brille « le visage triangulaire et penché d'un enfant allongé, comme un matou, sur une grosse branche »; là paraît « une longue enfant (...) blottie sous son grand chapeau de paille comme un chat guetteur » (*La Maison de Claudine*). « A l'espèce chat », Colette se sent « redevable d'une certaine sorte, honorable, de dissimulation, (...) d'une aversion caractérisée pour les sons brutaux, et d'un besoin de (se) taire longuement » (*Les Vrilles de la vigne*).

L'exemple de la chatte suffit donc à montrer comment la banale anecdote qui sous-tend le roman sait se prolonger en histoire intérieure. Et c'est jusqu'aux rives d'un véritable univers tragique que nous entraîne Colette.

Un univers de tragédie

On ne peut qu'être saisi par la densité du roman et par l'économie de moyens qui est mise en jeu. Comme dans *Le Blé en herbe, La Seconde, Duo,* ou *Le Toutounier*, les personnages principaux sont réduits à l'essentiel : Alain, Camille, Saha. Les autres traversent le livre en simples figurants. Comme les acteurs secondaires de la tragédie classique, ils ne sont là que pour ajouter à la concentration et au repli de l'œuvre autour des héros. Ainsi Patrick n'existe qu'en tant que propriétaire du studio dans lequel Alain et Camille viennent habiter après leur mariage; il est même, malgré lui, celui par lequel Alain est contraint de s'éloigner du royaume de l'enfance, par lequel donc l'impossible est tenté; intermédiaire du destin, il n'a aucune consistance en soi. La famille de Camille, réduite au père et à la mère, apparaît exclusivement comme un faire-valoir de la jeune femme et par là même comme un moyen de mettre en lumière la distance entre les deux jeunes gens : par leurs interventions toujours brèves, ils provoquent en effet de la part de Camille des réactions qui lui permettent de s'affirmer comme une adulte, dynamique, sportive, un peu effrontée, qui a su quitter l'enfance et l'adolescence, même si parfois ses moues et ses attitudes rappellent la petite fille qu'elle a été. Or c'est précisément cet épanouissement de femme sans réserve et sans crainte qui fait peur à Alain, qui le fait s'éloigner d'elle et qui les sépare radicalement. Alain, lui, n'a plus de père; de sa famille, seule sa mère est présentée, à travers une voix, une « main gantée derrière (...) les rhododendrons enflammés de fleurs », « une lourde silhouette blanche » liée à la chatte et au « beau jardin ». Le monde de travail dans lequel Alain évolue devrait le rattacher enfin à un univers d'adultes; or au contraire, M. Veuillet, le plus ancien collaborateur du père d'Alain, et les employés de la maison Amparat ne cessent de considérer ce dernier comme l'enfant qu'ils ont toujours connu. Enfin, le cercle des serviteurs, de la mère Buque au vieil Emile, fait presque songer au chœur des tragédies antiques, tant par ses commentaires il s'obstine à creuser l'irrémédiable.

L'espace accuse la rupture : bâti sur l'opposition entre la maison d'enfance d'Alain entourée du jardin, et le Quart-de-Brie, logis de hasard sans passé, il ne laisse imaginer aucun compromis. Le temps lui-même n'est qu'une marche tragique sans perspective ni continuité : après le martèlement des « sept jours » qui séparent du mariage d'Alain et de Camille, on passe à « demain », on revient sur la « journée d'hier »; on est en juin, puis vient un soir de juillet et voici le mois d'août, tandis que les saisons elles-mêmes perdent leur caractère propre.

Enfin, dans une dynamique vertigineuse, la structure de l'ouvrage, d'étape en étape, précipite chaque fois un peu plus l'échec. On peut lire *La Chatte* comme une tragédie en cinq actes. En effet, après la présentation d'Alain et de Camille comme appartenant à deux mondes antinomiques – le passé et l'irréel pour le premier, le présent et l'avenir pour la seconde –, viennent l'évocation de la vie du couple vouée à l'échec, celle de l'existence à trois – Alain, Camille, Saha – qui n'apporte pas plus d'harmonie, le développement de la violence entre les époux qui prend tantôt la forme de la perfidie et du mensonge, tantôt celle de la dispute, tantôt celle du silence, et enfin la catastrophe finale. Dans ce dernier mouvement dramatique du récit, Colette compose d'abord une scène riche de mots choisis et d'absence d'ornement, qui met à nu les sentiments les plus intenses de Camille et de Saha, et qui se détache sur un fond de silence où le tragique se trouve gravé avec force :

> L'œil au loin, immobile, Camille (...) tournait le dos (à la chatte). Pourtant (celle-ci) regardait le dos de Camille, et son souffle s'accélérait. (...) Camille alla, vint, dans un complet silence. Saha (...) fuyait avec méthode, bondissait soigneusement, (...) et ne condescendait ni à la fureur ni à la supplication.

Enfin, après le moment où Camille précipite Saha dans le vide, place est faite à la confrontation ultime :

> (Camille), pauvre petite meurtrière, docile, essaya de sortir de la relégation où elle s'enfonçait, tendit la main et toucha doucement, avec une haine humble, le crâne de la chatte...

> Le plus sauvage feulement, un cri, un bond d'épilepsie répondirent à son geste (...). Debout sur le lavis déployé, la chatte couvrait la jeune femme d'une accusation enflammée, (...) et tout le félin visage s'efforçait vers un langage universel, vers un mot oublié des hommes...

Dans une atmosphère dépouillée, la séparation définitive éclate avec un bruit sec : « Eh bien, dit simplement (Alain), je m'en vais. » Et le roman s'achève sur l'image monstrueuse de l'homme-chat :

> Alain à demi couché jouait, d'une paume adroite et creusée en patte, avec les premiers marrons d'août, verts et hérissés.

Tout est fait pour accuser les contrastes entre les personnages d'Alain et de Camille, et par là pour mieux montrer la force de l'incompréhension qui sépare les individus, et que l'amour ne réussit pas à vaincre. Bafouée par la préférence d'Alain pour la chatte, rejetée sans espoir de retour, Camille ne perd ni vaillance, ni dignité, ni fierté. Si, à la fin du roman, ses « yeux de pauvre » avouent la détresse de la femme seule face à Alain entouré de l'« atmosphère protectrice » du jardin et de la « complicité fastueuse des arbres », son tailleur neuf, son petit chapeau de côté, ses gants et ses fards disent son courage de lutteuse et son pouvoir de réaction qui forcent l'admiration. Alain au contraire, pris au piège du rêve, dépourvu de toute énergie, a continûment l'allure d'une victime et d'une marionnette. Dès le début, Colette le décrit « vaincu au fond d'un fauteuil »; jamais il ne prête attention au paraître, et Camille remarque ses « rudes cheveux blonds désordonnés », ou son « pyjama léger » dans lequel il se sent « gauche, inquiet et mal défendu ».

Colette s'attache donc dans *La Chatte* à mettre en lumière les fatalités qui définissent la condition humaine : échec du couple et de l'amour, violence de la jalousie, condamnation de l'être à la solitude, quête infinie de la pureté au prix de déchirures et de renoncements. Le destin auquel se livrent les héros est leur passion, et c'est cette passion qui les conduit irrésistiblement à l'incompréhension et à l'isolement.

Couple, amour et jalousie

« Tous mes romans ressassent l'amour, et je ne m'en suis pas lassée », avoue Colette dans *Mes apprentissages* : *La Chatte* ne fait pas exception. En lisant ce roman, on pense encore aux lignes que Colette écrit en 1928 dans *La Naissance du jour* :

> Qu'elle était judicieuse, la remontrance d'un de mes maris : « Mais tu ne peux donc pas écrire un livre qui ne soit d'amour, d'adultère, de collage mi-incestueux, de rupture? Est-ce qu'il n'y a pas autre chose dans la vie? » Si le temps ne l'eût pressé de courir (...) vers des rendez-vous amoureux, il m'aurait peut-être enseigné ce qui a licence de tenir, dans un roman et hors du roman, la place de l'amour... Il partait donc, et (...) je consignais, incorrigible, quelque chapitre dédié à l'amour, au regret de l'amour, un chapitre tout aveuglé d'amour.

La présence obsédante du jeu des couples, de l'amour et de la jalousie dans les ouvrages de Colette, qui se retrouve au cœur de *La Chatte*, renvoie précisément à ce que G. Picon appelle « l'essentielle monotonie » de l'œuvre colettienne, ou « l'eau profonde » qui coule « sous la surface anecdotique ». Et ce même critique d'ajouter :

> Les mots les plus vastes, il semble souvent qu'elle ne les comprenne qu'en les réduisant à cette expérience. Ecrit-elle le mot « souffrir », mot infini, mot sans limites, elle précise : « j'entends souffrir quand on est femme par un homme, quand on est homme par une femme ». (...) Si Colette a séduit et fasciné tant de lecteurs, il va de soi que c'est pour cette raison : pour la première fois, cette expérience de l'amour, dont les hommes ne cessent d'écrire, est écrite comme ils sont incapables de l'écrire, écrite pour la première fois avec cette précision et cette obstination par l'autre, le partenaire mystérieux et si souvent muet.

Dans *La Chatte,* la mélodie de l'amour est assurément jouée par Camille; la jeune femme est d'ailleurs le premier personnage que présente le livre, celle par qui l'émotion sensuelle envahit l'univers romanesque. L'écrivain la crée séduisante, pourvue d'une beauté où l'artifice rehausse et corrige constamment la nature pour que le charme soit plus intense. C'est elle qui provoque les étreintes, « port(e) sur (Alain) des mains impatientes, lui retir(e) son veston, sa cravate, ouvr(e) son col, roul(e) les manches de sa chemise, montr(e) et cherch(e) la peau nue ». La nudité ne constitue pas pour elle une marque d'impudeur; elle est au contraire une forme d'expression de la beauté. Que de fois d'ailleurs ne se lève-t-elle pas au bout des songes de Colette? « Quand j'essayais de me figurer ma créature », affirme par exemple l'écrivain dans *L'Etoile Vesper* à propos de son enfant – l'enfant qui sera la petite Colette de Jouvenel –, « je l'imaginais nue, et non pomponnée. » Pour l'avoir tant de fois contemplée dans le monde du music-hall, Colette sait mieux que personne quelle noblesse peut s'attacher à la nudité :

« A sa vue, les visages ne s'avilissent pas », affirme-t-elle dans *Belles saisons*. Ainsi, elle crée en Camille une héroïne aussi digne que voluptueuse, dont la sensualité reste lumineuse et équilibrée, sachant n'exclure ni la tendresse ni le besoin d'être protégée.

Mais à ce double appel de la tendresse et de la volupté ne répond que le désert de l'amour. Un constat brutal et cruel s'impose :

> (Camille) ne pouvait pas comprendre que l'humeur sensuelle de l'homme est une saison brève, dont le retour incertain n'est jamais un commencement.

Même dans les moments de possession physique, la solitude est au rendez-vous. Comme l'affirme P. d'Hollander, « dans le plaisir, l'être colettien est seul; il cherche, et dans le meilleur des cas, obtient la satisfaction non par le partage avec l'autre, mais par l'utilisation de cet autre. La volupté permet à l'individu de s'aimer dans la conscience accrue que le plaisir lui donne » (*Colette et ses apprentissages*). L'idée de partage qu'implique la notion de couple se trouve ainsi bafouée. Jamais Colette ne peint ses héros vivant l'amour à l'unisson; leurs attitudes sont d'ailleurs décrites en des termes guerriers qui insistent sur la discorde entre les partenaires et l'isolement de chacun d'eux. Colette évoque l'« habitude presque hargneuse » qu'« Alain prenait d'user » de Camille, le « rapide corps à corps d'où il la rejetait, haletant, pour gagner le côté frais du lit découvert »; elle parle du « demi-silence de pugilat » qui régnait alors entre eux, de « l'angoisse de corde tendue et d'équilibre périlleux ». Au lieu de mener au bonheur et à la connaissance, la volupté laisse les époux comme enveloppés de torpeur et de mélancolie, ressemblant à des « enfants fatigués » qui « avaient fait de leur mieux ».

Sido depuis longtemps n'a-t-elle pas enseigné à Colette l'incommunicabilité profonde qui sépare irrémédiablement un couple? A la lueur de sa propre expérience de femme, l'écrivain comprend mieux encore cette vérité cruelle, et, dans *La Maison de Claudine*, elle prête à sa mère s'adressant au Capitaine ces terribles paroles : « tu n'es même pas mon parent ». De même, elle fait dire à Sido :

> — J'en ai assez de trembler tout le temps pour mes filles. Déjà l'aînée qui est partie avec ce monsieur...
> — Comment; partie? répond et interroge le Capitaine.
> — Oui, enfin, mariée, réplique Sido. Mariée ou pas mariée, elle est tout de même partie avec un monsieur qu'elle connaît à peine.

XVIII

Comme Phil et Vinca dans *Le Blé en herbe*, Alain et Camille sont liés depuis l'enfance; Alain se souvient d'ailleurs avec plaisir et indulgence de la petite Camille qui « suçait sa joue à l'intérieur de sa bouche et esquissait roidement la courte révérence des fillettes ». Mais, venus le temps de l'adolescence et celui de la maturité, arrive la déchirure. Dès le début de *La Chatte*, Colette donne le ton : tandis qu'emportée par l'enthousiasme et l'illusion du bonheur, Camille s'écrie, triomphante, à propos de son fiancé : « Je le connais, moi! », Alain comme en sourdine murmure pour lui seul :

> Elle me connaît. Peut-être qu'elle le croit. Moi aussi je lui ai dit vingt fois : « Je te connais, ma fille! » Saha aussi la connaît.

Puis au fil du roman, tandis que s'égrènent les mots qui font mal et qui signent le naufrage de l'amour, les dialogues se réduisent soit à des dialogues intérieurs, soit à des interrogations qui demeurent sans réponse et creusent les malentendus. La vérité du discours finit par éclater de manière cinglante dans cette réflexion d'Alain : « Nous avons déjà échangé pas mal de paroles inutiles. »

Ni mots ni plaisir ne tissent donc aucune complicité, n'entraînent aucune connaissance. En lisant *La Chatte*, on se souvient de ces lignes de *L'Entrave* :

> Nous savons déjà qu'il faut, lorsque nos esprits, ou nos consciences, s'éveillent et s'affrontent, nous enlacer et nous taire : l'étreinte

nous donne l'illusion d'être unis, et le silence nous fait croire à la paix.

Lié à l'incommunicabilité entre les êtres, l'échec du couple est approfondi par Colette à travers la présentation triangulaire de ce dernier : un homme et deux femmes dans *Le Blé en herbe* et *La Seconde* par exemple, un homme, une femme et une chatte dans *La Chatte*. Le personnage féminin est cerné par l'écrivain dans une dualité conflictuelle : d'un côté l'effacement des sens et la pureté – souvenons-nous du baiser de Saha « immatériel, rapide et qu'elle n'accordait que rarement » –, de l'autre la libération des sens – songeons à la facilité avec laquelle Camille se donne à Alain. Tout un jeu de couleurs fait vivre cette opposition. « Reflet d'argent », Saha la pure, « innocente et diurne », est « mauve et bleuâtre comme la gorge des ramiers »; son ombre est bleue, son pelage est couleur de pierre de lune, toutes les nuances du bleu ou du gris composent son univers. Colette la pare ainsi des teintes qu'elle-même a toujours aimées et privilégiées, et qui s'harmonisent dans un climat de douceur irréelle qu'achèvent de façonner les métamorphoses marines : souple et argentée, la Chatte a toutes les apparences d'un poisson qui bondit soudain dans l'air ou qui coule entre les jambes d'Alain. Camille, au contraire, est balayée par les contrastes et se meut dans la dureté d'un monde minéral : la voici avec son habit blanc, « une mince cravate au cou », « son diamant tout neuf à sa main gauche (qui) taill(e) la lumière en mille éclats colorés », sa

« bouche en émail vitrifié d'un noir d'encre »,
et « un petit pinceau noir de cheveux bien
taillés sur les tempes ».

La structure triangulaire par laquelle Colette
figure l'image du couple, représente la négation
de ce dernier, car elle porte en elle-même le
conflit et la violence, dont la manifestation la
plus évidente est la jalousie.

Dans l'œuvre et la réflexion de Colette, ce
sentiment n'équivaut nullement à un simple
accident de parcours sur la route de l'amour, il
apparaît au contraire comme une donnée
nécessaire inscrite dans la nature de la passion
sentimentale et du couple. Le regard de Saha
plein de « loyal et exclusif amour », comme
celui de Camille « noir de reproche » font
prendre conscience à Alain de cette inéluctable
violence. Dès le lendemain du jour des noces,
Camille réalise la première fracture du couple
qu'elle vient de former avec Alain; ce dernier
ayant manifesté le désir de revenir, seul, dix
minutes, dans sa maison d'enfance, elle devine
l'irréparable :

> Avoue – elle croisa les bras en tragédienne –
> avoue que tu vas voir ma rivale!

La jalousie est omniprésente dans l'œuvre
colettienne, et les lignes les plus émouvantes
que l'auteur a écrites à ce sujet restent sans
doute celles qui se trouvent dans la nouvelle de
La Maison de Claudine intitulée « Amour » :

> Rougissante entre ses bandeaux qui grison-
> nent, (...) elle est plaisante, cette petite dame
> âgée, quand elle se défend, sans rire, contre un
> jaloux sexagénaire. Il ne rit pas non plus, lui,

qui l'accuse à présent de « courir le guille-
dou »[1].

Chez Colette, les morsures de la jalousie
remontent à l'enfance. Il suffisait que Sido
offrît un peu de son attention et de son amour
à d'autres qu'à elle, pour que Minet-Chéri
ressentît la blessure. Sido applaudit-elle, « des
yeux et de la voix, au massacre de la rose »
qu'elle vient de donner au petit enfant d'une
« mitoyenne de l'est »? « Je me taisais,
jalouse... », précise Colette. L'écrivain se souvient encore de la lancinante présence de ce mal
inévitable, lorsque son cœur de petite fille
trompé dans son besoin d'amour exclusif, sentait vivre la passion de Sido pour Achille,
« l'aîné sans rivaux » (*Sido*). De même, quand
est venu pour Colette le temps du premier
amour, celui que l'adolescence veut croire éter-
nel et total, celui qui a lié la fille de Sido à
Henry Gauthier-Villars dit Willy, à nouveau la
jalousie n'a pas tardé à surgir. Jamais on ne
cesse de souffrir des « épines de la grande fleur
furibonde, la jalousie » (*Le Pur et l'Impur*).

Ce mal peut, comme dans *La Seconde*,
connaître des périodes de rémission; il peut
aussi, comme dans *La Chatte*, entraîner violence et férocité. De toutes façons, la brisure est
la même : intense et définitive.

Ainsi, même si elle demeure la « reine des
choses prochaines » (Th. Maulnier), Colette ne
s'en tient pas à cette immédiateté. A travers
l'analyse de la passion amoureuse, elle cherche

1. Il s'agit de Sido et du Capitaine.

et donne à lire le destin de l'être. Echec du couple, amour à la dérive, fureur jalouse hantent sa vision et lui confèrent une profondeur qui nous entraîne bien au-delà des rives de la seule volupté. Le classicisme de cet auteur ne veut pas dire simplicité mais équilibre dangereux des contraires. Sa réflexion oscille sans cesse entre des pôles opposés et symétriques, permettant de mieux prendre la mesure de l'ambiguïté de la nature humaine. Au-delà donc de l'amour de chair, de ses blessures et de son impossible achèvement, au-delà de l'impur, ou plutôt comme en contrepoint, Colette fait vivre les beautés d'un monde pur.

La tentation de la pureté

Comment définir le pur? Colette ne laisse rien ignorer de son impossibilité à fixer cette notion :

> Le mot « pur » ne m'a pas découvert son sens intelligible. Je n'en suis qu'à étancher une soif optique de pureté dans les transparences qui l'évoquent, dans les bulles, l'eau massive, et les sites imaginaires retranchés, hors d'atteinte, au sein d'un épais cristal (*Le Pur et l'Impur*).

La pureté n'est pas un état, mais une tentation, celle de se détourner du chemin douloureux de la vie d'adulte pour rejoindre celui des sources. Car bien avant la crise amoureuse et à la naissance de la vie comme de l'œuvre d'art, se dresse pour Colette le royaume de l'enfance. On n'en finirait pas de citer dans ses livres les personnages féminins ou leurs équivalents – les très jeunes hommes tel Alain –, qui rompent avec la sexualité et tentent de revenir aux premières années de leur vie. Ce monde originel a des métaphores variées, en général féminines : c'est une chatte, c'est le château de Carneilhan, c'est la « seconde » à la fois rivale et mère, c'est le divan-gynécée des sœurs du *Toutounier*. Pour Colette elle-même, vieillir c'est désirer retrouver la mère, comme en témoigne *La Naissance du jour*. Il s'agit d'un idéal vers lequel on tend mais que l'on sait inaccessible dans la vie réelle. C'est pourquoi les êtres qui vont jusqu'au bout de cette tentation sont présentés par Colette comme des marginaux tel Léo, ou des personnages inconsistants, voire souvent ridicules, tel Alain. Les seules vraies paroles de ce dernier s'adressent à la chatte, et elles résonnent d'une manière qui peut sembler grotesque et disproportionnée :

> Saha ! Mon petit puma ! (...) Mon petit ours à grosses joues (...). Mon pigeon bleu (...). Veux-tu que nous entrions tous les deux dans les ordres ?

La fusion entre Alain et Saha entraîne le malaise, et, plus généralement, si l'on s'en tient aux seuls personnages, on est renvoyé d'un domaine monstrueux à un autre domaine monstrueux : le pur qui relève d'une chimère incarnée devient pour autrui monstrueux, et réciproquement l'impur est monstrueux aux yeux de celui qui reste en quête de la pureté. Ce face à face absurde est nettement mis en valeur à travers ces répliques :

> Saha n'est pas ta rivale, dit Alain simplement
> (à Camille). (...) Il s'interrompit et abaissa ses
> paupières sur son secret, qui était un secret de
> pureté. (...) Tu es un monstre...
>
> C'est toi le monstre... (répond Camille) ce qui
> est rare, ce qui est monstrueux, c'est toi,
> c'est...

Seule l'écriture peut dépasser ce choc en retour permanent. Au-delà de la contradiction et de la difformité, l'auteur Colette qui emporte le pur au bout de sa plume nous ouvre et s'ouvre à elle-même les vastes espaces de l'illimité où tout prend un sens. Dans l'arabesque du style créateur, les formes humaines se perdent et s'estompent, pour rejoindre l'harmonie des lignes par lesquelles l'artiste construit un royaume magique où l'être se trouve enfin réconcilié avec lui-même. Qu'abrite ce royaume? Quel est-il? Il renvoie à une exigence de qualité sentimentale : on doit y aimer et être aimé de façon nécessaire et désintéressée; ainsi au cœur d'Alain la voix de la mère a le son d'« un murmure nécessaire ». Ce monde originel est en outre rassurant; la répétition y crée l'ambiance close indispensable à l'apaisement, le rite y fait vivre le sacré : ce sont les « litanies rituelles » qu'Alain dédie à Saha, et les « versets rituels » qu'il lui chante tout bas; c'est « la même note (...) de timbale grave » qu'un vol d'abeilles fait entendre dans le jardin « depuis tant d'années ». La pureté se confond encore avec le retour à un symbole maternel : la nature, le jardin, la chatte. Alors surgit une beauté douce où l'être est apaisé, et qui contraste avec celle, agressive, de la sensualité. La poésie se lève et les mots se gonflent de magie. Le jardin d'Alain par exemple revêt tant de charme et de splendeur sous le prestige de l'art, que vie et mort semblent s'y confondre et prolonger en valeur d'éternité :

> Un édredon de silènes roses, à margelle de myosotis, trônait sur une pelouse. L'arbre mort laissait pendre, de son coude décharné, une écharpe de polygonum émue à chaque souffle, mêlée de clématites violettes à quatre pétales. Un des appareils d'arrosage, debout sur son pied unique, rouait sur le gazon, ouvrant sa queue de paon blanc barrée d'un instable arc-en-ciel.

De même, voici la chatte, assise « sur son propre reflet bleuâtre immergé dans une eau ténébreuse », qui rejoint les portes de l'invisible et du mystérieux, gardiennes d'un domaine éloigné des humains, où éclosent les fleurs du bonheur.

A partir d'un lieu commun, celui de l'amour, Colette sait aller jusqu'au bout de la tragédie de la condition humaine, sans jamais laisser le désespoir se lever. Son univers est sauvé par la magie du verbe qui fait chanter la symphonie des contrastes, la beauté démoniaque de l'impur, la splendeur parfaite du pur. Colette romancière puise son génie poétique aux sources de la technique comme à celles de la vision : comment, plus savamment et plus élégamment, concilier Marcel Proust et Gérard Genette?

Nicole FERRIER-CAVERIVIÈRE.

Bibliographie

Œuvres complètes

Editions du Fleuron, Flammarion, t. IX, septembre 1949.

Edition du Centenaire, Flammarion, 1973.

Collection Bouquins, R. Laffont, t. 2, 1989.

Œuvres, III, « Bibliothèque de la Pléiade », 1991.

Editions de *La Chatte*

Imprimerie Moderne, Montrouge, 7 juin 1933.

Bernard Grasset, coll. Pour mon plaisir, 12 juin 1933.

Bernard Grasset, coll. Bibliothèque Grasset-Œuvres de Colette, n° XI, 20 juin 1933.

Ferenczi, coll. Le Livre moderne illustré, 24 juin 1935.

Fayard, juin 1945.

Ferenczi, 26 septembre 1947.

Ferenczi, Collection du jour, juin 1948.

Les Compagnons du Livre, 31 janvier 1952.

Hachette, coll. Le Livre de Poche, janvier 1955.

Ferenczi, coll. Pourpre, 4e trim. 1955.

Bernard Grasset, 18 avril 1957.

Bernard Grasset, coll. Diamants, 15 mars 1973.

Ediclub Rombaldi, 3 mai 1975.

Correspondance

Lettres à Hélène Picard, texte établi et annoté par Claude Pichois, Flammarion, 1958.

Lettres à Marguerite Moreno, texte établi et annoté par Claude Pichois, Flammarion, 1959.

Lettres de la Vagabonde, texte établi et annoté par Claude Pichois et Roberte Forbin, Flammarion, 1961.

Lettres au Petit Corsaire, texte établi et annoté par Claude Pichois et Roberte Forbin, préface de Maurice Goudeket, Flammarion, 1963.

Lettres à ses pairs, texte établi et annoté par Claude Pichois et Roberte Forbin, Flammarion, 1973.

Sido, *Lettres à sa fille,* précédé de *Lettres inédites de Colette*, préface de B. de Jouvenel, J. Malige et M. Sarde, Ed. des Femmes, 1984.

Articles et ouvrages critiques

BAL, M., *Complexité d'un roman populaire (Ambiguïté dans* La Chatte*)*, La Pensée universelle, 1974.

BELLOSTA, M.-C., « Colette », *in L'Hymne à l'univers,* Belin, 1990.

BIOLLEY-GODINO, M., *L'Homme-objet chez Colette*, Klincksieck, 1972.

CARCO, F., *Colette « mon Ami »*, éd. Rive-Gauche, 1955.

CHAUVIÈRE, C., *Colette*, Firmin-Didot, 1931.

COCTEAU, J., *Colette*, Grasset, 1955.

CROSLAND, M., *Colette ou la difficulté d'aimer,* Albin Michel, 1973.

DESONAY, F., « Notice sur Colette », *in Annuaire de l'Académie royale de Langue et de Littérature française*, Palais des Académies, Bruxelles, 1968.

DORMANN, G., *Amoureuse Colette*, éd. Herscher, 1984.

DUPONT, J., *Sensation et création dans l'œuvre de*

Colette, thèse d'Etat, Université de Paris IV-Sorbonne, 1987.

GOUDEKET, M., *Près de Colette*, Flammarion, 1956, et *La Douceur de vieillir*, Flammarion, 1965.

HARRIS, E., *L'Approfondissement de la sensualité dans l'œuvre romanesque de Colette*, Nizet, 1973.

HOUSSA, N., *Le Souci de l'expression chez Colette*, Palais des Académies, Bruxelles, 1958.

LARNAC, J., *Colette, sa vie, son œuvre*, Kra, 1927.

MARKS, E., *Colette*, Rutgers University Press, N. J., 1960.

MAULNIER, T., *Introduction à Colette*, La Palme, 1954.

PHELPS, R., *Autobiographie tirée des œuvres de Colette*, Fayard, 1966.

PICON, G., « Songeant à l'œuvre de Colette », *in Humanisme actif. Mélanges d'art et de littérature offerts à Julien Cain*, Hermann, 1968, t. I.

RAAPHORST-ROUSSEAU, M., *Colette, sa vie et son art*, Nizet, 1964.

REBOUX, P., *Colette ou le génie du style*, Rasmussen, 1925.

RESH, Y., *Corps féminin, corps textuel*, Klincksieck, 1973.

TRAHARD, P., *L'Art de Colette*, Jean Renard, 1941.

SARDE, M., *Colette, libre et entravée*, Stock, 1978.

VIRMAUX, A. et O., *Colette au cinéma*, Flammarion, 1975.

Analyses et réflexions sur Colette, Ellipses, 1990.

Cahiers Colette, nº 1 à 13, Société des Amis de Colette, 1978-1991.

Colette et la mode, textes de Colette, dessins de S. Rykiel, préface de N. Ferrier-Caverivière, photographies de Th. Arditti, éd. Plume, 1991.

Colette, nouvelles approches critiques, Actes du colloque de Sarrebruck, juin 1984, Nizet, 1987.

Les plus belles pages de Colette, Flammarion, 1931.

Vers dix heures, les joueurs du poker familial donnaient des signes de lassitude. Camille luttait contre la fatigue comme on lutte à dix-neuf ans, c'est-à-dire que par sursauts elle redevenait fraîche et claire, puis elle bâillait derrière ses mains jointes et reparaissait pâle, le menton blanc, les joues un peu noires sous leur poudre teintée d'ocre, et deux petites larmes dans le coin des yeux.

— Camille, tu devrais aller te coucher !

— A dix heures, maman, à dix heures ! Qui est-ce qui se couche à dix heures ?

Elle en appelait du regard à son fiancé, vaincu au fond d'un fauteuil.

— Laissez-le, dit une autre voix de mère. Ils ont encore sept jours à s'attendre. Ils sont un peu bêtes en ce moment-ci, ça se conçoit.

— Justement. Une heure de plus ou de moins... Camille, tu devrais venir te coucher. Et nous aussi.

— Sept jours ! s'écria Camille. Mais nous sommes lundi ! Moi qui n'y pensais plus... Alain, viens, Alain !...

Elle jeta sa cigarette dans le jardin, en alluma une neuve, tria et battit les cartes du poker abandonné et les disposa cabalistiquement.

— Savoir si on l'aura, la voiture, le mignon roadster des enfants, avant la cérémonie !... Regarde, Alain. Je ne le lui fais pas dire ! Il sort avec le voyage, et avec la nouvelle importante...

— Qui ?

— Le roadster, voyons !

Alain tourna la tête, sans soulever la nuque, vers la porte-fenêtre béante d'où venait une douce odeur d'épinards et de foin frais, car on avait tondu les gazons dans la journée. Le chèvrefeuille, qui drapait un grand arbre mort, apportait aussi le miel de ses premières fleurs. Un tintement cristallin annonça que les sirops de dix heures et l'eau fraîche entraient, sur les bras tremblants du vieil Émile, et Camille se leva pour emplir les verres.

Elle servit son fiancé le dernier, lui offrit le gobelet embué avec un sourire d'entente. Elle le regarda boire et se troubla brusquement à cause de la bouche qui pressait les bords du verre. Mais il se sentait si fatigué qu'il refusa de participer à ce trouble, et il ne fit que serrer un peu les doigts blancs, les ongles rouges qui lui reprenaient le gobelet vide.

— Tu viens déjeuner demain ? lui demanda-t-elle à mi-voix.

— Demande-le aux cartes.

Camille recula, esquissa une mimique de clown :

— Pas charrier les Vingt-quatre heures ! Charrier couteaux en croix, charrier sous percés, charrier ciné parlant, Dieu le Père...

— Camille !

— Pardon, maman... Mais pas blaguer. Vingt-quatre heures ! Lui bon petit type, noir gentil messager rapide, valet de pique toujours pressé...

— Pressé de quoi ?

— Mais de parler, voyons ! Songe, il porte les nouvelles des vingt-quatre heures qui suivent et même des deux jours. Si tu l'accompagnes de deux cartes de plus à sa droite et à sa gauche, il prédit sur la semaine qui vient...

Elle parlait vite, en grattant d'un ongle aigu, aux coins de sa bouche, deux petites bavures de fard rouge. Alain l'écoutait sans ennui et sans indulgence. Il la connaissait depuis plusieurs années, et la cotait à son prix de jeune fille d'aujourd'hui. Il savait comme elle menait une voiture, un peu trop vite, un peu trop bien, l'œil à tout et dans sa bouche fleurie une grosse injure toute prête à l'adresse des taxis. Il savait qu'elle mentait sans rougir à la manière des enfants et des adolescents ; qu'elle était capable de tromper ses parents afin de rejoindre Alain, après le dîner, dans les « boîtes » où ils dansaient ensemble ; mais ils n'y buvaient que des jus d'orange parce qu'Alain n'aimait pas l'alcool.

Avant leurs fiançailles officielles, elle lui avait livré, au soleil et dans l'ombre, ses lèvres prudemment essuyées, ses seins, impersonnels et toujours prisonniers d'une double poche de tulle-dentelle, et de très belles jambes dans des bas sans défaut qu'elle achetait en cachette, des bas « comme Mistinguett, tu sais ? Attention à mes bas, Alain ! » Ses bas, ses jambes, voilà ce qu'elle avait de mieux...

« Elle est jolie », raisonnait Alain, « parce qu'aucun de ses traits n'est laid, qu'elle est régulièrement brune, et que le brillant de ses yeux s'accorde avec des cheveux propres, lavés souvent, gommés, et couleur de piano neuf... » Il n'ignorait pas non plus qu'elle pouvait être brusque, et inégale comme une rivière de montagne.

Elle parlait encore du roadster :

— Non, papa, non ! Pas question que je laisse le volant à Alain pendant notre traversée de la Suisse ! Il est trop distrait, — et puis

au fond, il n'aime pas vraiment conduire, —
je le connais, moi !

« Elle me connaît », répéta Alain en lui-
même. « Peut-être qu'elle le croit. Moi aussi
je lui ai dit vingt fois : « Je te connais, ma
fille ! » Saha aussi la connaît. Où est-elle, cette
Saha ? »

Il chercha des yeux la chatte et s'arracha
de son fauteuil, épaule après épaule, et les
reins ensuite, et enfin le séant, et descendit
mollement les cinq marches du perron.

Le jardin, vaste, entouré de jardins, exhalait dans la nuit la grasse odeur des terres à
fleurs, nourries, provoquées sans cesse à la
fertilité.

Depuis la naissance d'Alain, la maison
avait peu changé. « Une maison de fils
unique », estimait Camille, qui ne cachait pas
son dédain pour le toit en gâteau, pour les
fenêtres du haut engagées dans l'ardoise, et
pour certaines pâtisseries modestes, aux flancs
des portes-fenêtres du rez-de-chaussée.

Le jardin, comme Camille, semblait mépri-
ser la maison. De très grands arbres, d'où
pleuvait la noire brindille calcinée qui choit
de l'orme en son vieil âge, la défendaient du
voisin et du passant. Un peu plus loin sur un
terrain à vendre, dans les cours d'un lycée, on
eût pu retrouver, égarés par paires, les mêmes
vieux ormes, reliquats d'une quadruple et

princière avenue, vestiges d'un parc que le nouveau Neuilly ravageait.

— Où es-tu, Alain ?

Camille l'appelait en haut du perron, mais par caprice il s'abstint de répondre et gagna des ténèbres plus sûres, en tâtant du pied le bord de la pelouse tondue. Au haut du ciel siégeait une lune voilée, agrandie par la brume des premières journées tièdes. Un seul arbre, un peuplier à jeunes feuilles vernissées, recueillait la clarté lunaire et dégouttait d'autant de lueurs qu'une cascade. Un reflet d'argent s'élança d'un massif, coula comme un poisson contre les jambes d'Alain.

— Ah ! te voilà, Saha ! Je te cherche. Pourquoi n'es-tu pas venue à table ce soir ?

— Me-rrouin, répondit la chatte, me-rrouin...

— Comment, me-rrouin ? Et pourquoi me-rrouin ? Est-ce une manière de parler ?

— Me-rrouin, insista la chatte, me-rrouin...

Il caressa tendrement à tâtons la longue échine plus douce qu'un pelage de lièvre, rencontra sous sa main les petites narines fraîches, dilatées par le ronronnement actif. « C'est ma chatte... Ma chatte à moi. »

— Me-rrouin, disait tout bas la chatte. R...rrouin...

Un nouvel appel de Camille vint de la

12

maison, et Saha disparut sous une haie de fusains taillés, noirs-verts comme la nuit.

— Alain !... On s'en va !...

Il courut vers le perron, accueilli par le rire de Camille.

— Je vois tes cheveux courir, criait-elle. C'est fou d'être blond à ce point-là !

Il courut plus vite, franchit d'un saut les cinq marches et trouva Camille seule dans le salon.

— Les autres ? demanda-t-il à mi-voix.

— Vestiaire, dit-elle sur le même ton. Vestiaire et visite des « travaux ». Désolation générale. « Ça n'avance pas ! Ça ne sera jamais fini. » Ce qu'on s'en fout, nous deux ! Si on était malins, on le garderait pour nous, le studio de Patrick. Patrick s'en refera un autre. Je m'en occupe, si tu veux ?

— Mais Patrick ne laissera le Quart-de-Brie que pour t'être agréable.

— Naturellement ! On en profitera !

Elle rayonnait d'une immoralité exclusivement féminine, à laquelle Alain ne s'habituait pas. Mais il ne la reprit que sur sa manière de dire « on » à la place de « nous » et elle crut à un reproche tendre.

— Ça me viendra assez vite, l'habitude de dire « nous »...

Pour qu'il eût envie de l'embrasser, elle éteignit comme par jeu le plafonnier. L'unique

13

lampe, allumée sur une table, projeta derrière la jeune fille une ombre nette et longue.

Camille, les bras levés et noués en anses derrière sa nuque, l'appelait du regard. Mais il n'avait d'yeux que pour l'ombre. « Qu'elle est belle sur le mur ! Juste assez étirée, juste comme je l'aimerais... »

Il s'assit pour les comparer l'une à l'autre. Flattée, Camille se cambra, tendit ses seins, et fit la bayadère, mais l'ombre savait ce jeu-là mieux qu'elle. Dénouant ses mains, la jeune fille marcha, précédée de l'ombre exemplaire. Arrivée à la porte-fenêtre béante, l'ombre bondit de côté et s'enfuit dans le jardin, sur le cailloutis rosé d'une allée, étreignant au passage, de ses deux longs bras, le peuplier couvert de gouttes de lune... « C'est dommage... », soupira Alain. Il se reprocha mollement ensuite son inclination à aimer, en Camille, une forme perfectionnée ou immobile de Camille, cette ombre, par exemple, un portrait, ou le vif souvenir qu'elle lui laissait de certaines heures, de certaines robes...

— Qu'est-ce que tu as, ce soir ? Viens m'aider à mettre ma cape, au moins...

Il fut choqué de ce que sous-entendait cet « au moins » et aussi parce que Camille, en franchissant devant lui la porte qui menait au vestiaire et à l'office, avait haussé imperceptiblement les épaules. « Elle n'a pas besoin de hausser les épaules. La nature et l'habitude s'en chargent. Quand elle ne fait pas attention, son encolure la rend courtaude. Légèrement, légèrement courtaude. »

Dans le vestiaire, ils retrouvèrent la mère d'Alain, les parents de Camille, qui battaient la semelle, comme par le froid, sur le tapis de corde et y laissaient des empreintes couleur de neige sale.

La chatte, assise sur le rebord extérieur de la fenêtre, les regardait d'une manière inhospitalière, mais sans animosité. Alain imita sa patience et endura les manifestations du pessimisme rituel.

— Plus ça change...

— Ça n'a pour ainsi dire pas avancé depuis huit jours...

— Si vous voulez mon sentiment, ma chère amie, ce n'est pas quinze jours, c'est un mois — qu'est-ce que je dis, un mois ? — deux mois, pour que leur nid...

Au mot de « nid », Camille se jeta dans la paisible mêlée, si aigrement qu'Alain et Saha fermèrent les yeux.

— Mais puisque nous en avons pris notre parti ! Et même que ça nous amuse de loger chez Patrick ! Et que ça arrange très bien Patrick qui n'a pas le rond, — pas d'argent, pardon, maman... Nos valises, et hop ! en plein ciel, au neuvième ! N'est-ce pas, Alain ?

15

Il rouvrit les yeux, sourit dans le vague, et lui posa sur les épaules sa cape claire. Dans le miroir, en face d'eux, il reçut le regard de Camille, noir de reproche, qui ne l'attendrit pas. « Je ne l'ai pas embrassée sur la bouche pendant que nous étions seuls. Eh bien ! non, je ne l'ai pas embrassée sur la bouche, là ! Elle n'a pas eu son compte de baisers-sur-la-bouche aujourd'hui. Elle a eu celui de midi moins le quart dans une allée du Bois, celui de deux heures après le café, celui de six heures et demie dans le jardin ; alors il lui manque celui de ce soir. Eh bien ! elle n'a qu'à le marquer sur le compte, si elle n'est pas contente... Qu'est-ce que j'ai ? Je suis fou de sommeil. Cette vie est idiote ; nous nous voyons mal et beaucoup trop. Lundi j'irai tout bonnement au magasin, et... »

L'acidité chimique des pièces de soie neuve lui monta imaginairement aux narines. Mais le sourire impénétrable de M. Veuillet lui apparut comme en songe, et comme en songe il entendit des paroles qu'il n'avait pas encore appris, à vingt-quatre ans, à ne pas redouter : « Non, non, jeune ami, une nouvelle machine-comptable, qui coûte dix-sept mille francs, amortira-t-elle son prix de revient dans l'année ? Tout est là. Permettez au plus ancien collaborateur de votre pauvre père... » Et retrouvant dans le miroir l'image vindicative, les beaux yeux noirs qui l'épiaient, il enveloppa Camille de ses deux bras.

— Eh bien, Alain ?

— Oh ! ma chère, laissez-le ! Ces pauvres enfants...

Camille rougit et se dégagea, puis elle tendit sa joue à Alain avec une grâce si garçonnière et si fraternelle qu'il faillit se réfugier sur son épaule : « Me coucher, dormir... Oh ! bon Dieu, me coucher, dormir... »

Du jardin vint la voix de la chatte :

— Me-rrouin... Rrr-rrrouin.

— Écoute la chatte ! Elle doit être en chasse, dit sereinement Camille. Saha ! Saha !

La chatte se tut.

— En chasse ? protesta Alain. Comment veux-tu ? D'abord nous sommes en mai. Et puis elle dit : « Me-rrouin ! »

— Alors ?

— Elle ne dirait pas me-rrouin si elle était en chasse ! Ce qu'elle dit là — et c'est même assez curieux — c'est l'avertissement, et presque le cri pour rassembler les petits.

— Seigneur ! s'écria Camille en levant les bras. Si Alain se met à interpréter la chatte, nous n'avons pas fini !

Elle descendit en sautant les marches, et, sous la tremblante main du vieil Émile, deux grosses planètes mauves, à l'ancienne mode, s'allumèrent dans le jardin.

Alain marchait avec Camille en avant. A la grille, il l'embrassa sous l'oreille, respira, sous un parfum qui la vieillissait, une bonne odeur de pain et de pelage sombre, et serra sous la cape les coudes nus de la jeune fille. Quand elle s'assit au volant, devant ses parents, il se sentit éveillé et gai.

— Saha ! Saha !

La chatte jaillit de l'ombre, presque sous ses pieds, courut quand il courut, le précéda à longues foulées. Il la devinait sans la voir, elle fit irruption avant lui dans le hall et revint l'attendre en haut du perron. Le jabot gonflé, les oreilles basses, elle le regardait accourir en le provoquant de ses yeux jaunes, profondément enchâssés, soupçonneux, fiers, maîtres d'eux-mêmes.

— Saha ! Saha !

Proféré d'une certaine manière, à mi-voix avec l'h fortement aspirée, son nom la rendait folle. Elle battit de la queue, bondit au milieu de la table de poker et de ses deux mains de chatte, grandes ouvertes, éparpilla les cartes du jeu.

— Cette chatte, cette chatte... dit la voix maternelle. Elle n'a aucune notion de l'hospitalité. Regarde comme elle se réjouit du départ de nos amis !

Alain jeta un éclat de rire enfantin, le rire qu'il gardait pour la maison et l'étroite intimité, qui ne franchissait pas la charmille d'ormes ni la grille noire. Puis il bâilla frénétiquement.

— Mon Dieu, comme tu as l'air fatigué ! Est-il possible d'avoir l'air si fatigué quand on est heureux ? Il reste de l'orangeade. Non ! Alors nous pouvons monter... Laisse, Émile éteindra.

« Maman me parle comme si je relevais de maladie, ou comme si je recommençais une paratyphoïde... »

— Saha ! Saha ! Quel démon ! Alain, tu ne pourrais pas obtenir de cette chatte...

Par un chemin vertical connu d'elle, marqué sur la brocatelle élimée, la chatte venait d'atteindre presque le plafond. Un instant elle imita le lézard gris, plaquée contre la muraille et les pattes écartées, puis elle feignit le vertige et risqua un petit appel maniéré.

Docilement, Alain vint se placer au-dessous d'elle, offrit ses épaules, et Saha descendit collée au mur comme une goutte de pluie le long d'une vitre. Elle prit pied sur l'épaule d'Alain, et ils gagnèrent ensemble leur chambre à coucher.

Une longue grappe pendante de cytise, noire devant la fenêtre ouverte, devint une longue grappe jaune clair quand Alain alluma le plafonnier et la lampe de chevet. Il versa la chatte sur le lit en penchant l'épaule, et erra, de sa chambre à la salle de bains, inutilement, en homme que la fatigue empêche de se coucher.

Il se pencha sur le jardin, chercha d'un regard hostile l'amas blanc des « travaux » inachevés, ouvrit et ferma des tiroirs, des boîtes où dormaient ses véritables secrets : un dollar d'or, une bague chevalière, une breloque d'agate pendue à la chaîne de montre de son père ; quelques graines rouges et noires provenant d'un balisier exotique ; un chapelet de communiant en nacre ; un mince bracelet rompu, souvenir d'une jeune maîtresse orageuse qui avait passé vite et à grand bruit... Le reste de ses biens terrestres n'étaient que livres brochés et reliés, lettres, photographies...

Il maniait rêveusement ces petites épaves, brillantes et sans valeur comme la pierraille colorée qu'on trouve dans les nids des oiseaux pillards. « Il faut jeter tout cela... ou le laisser ici ? Je n'y tiens pas... Est-ce que j'y tiens ?... » Sa condition d'enfant unique l'attachait à tout ce qu'il n'avait jamais partagé, ni disputé.

Il vit son visage dans le miroir et s'irrita contre lui-même. « Mais couche-toi donc ! Tu es délabré, c'est honteux ! » dit-il au beau jeune homme blond. « On ne me trouve beau que parce que je suis blond. Brun, je serais affreux. » Il critiqua une fois de plus son nez un peu chevalin, sa joue longue. Mais une fois de plus il sourit pour se montrer ses dents, flatta de la main le pli naturel de ses cheveux blonds trop épais, et fut content de la nuance de ses yeux, d'un gris verdissant entre des cils foncés. Deux plis creusèrent les joues, de part et d'autre du sourire, l'œil recula, cerné de mauve. Une barbe rude et pâle, rasée le matin, grossissait déjà la lèvre. « Quelle gueule ! je me fais pitié. Non, je me dégoûte. Ça, une figure de nuit de noces ?... » Au fond du miroir, Saha le dévisageait, de loin, gravement.

— Je viens, je viens !

Il se jeta sur le champ frais des draps, en ménageant la chatte. Il lui dédia rapidement quelques litanies rituelles qui convenaient aux grâces caractéristiques et aux vertus d'une chatte dite des Chartreux, pure de race, petite et parfaite.

— Mon petit ours à grosses joues... Fine-fine-fine chatte... Mon pigeon bleu... Démon couleur de perle...

Dès qu'il supprima la lumière, la chatte se mit à fouler délicatement la poitrine de son ami, perçant d'une seule griffe, à chaque foulée, la soie du pyjama et atteignant la peau juste assez pour qu'Alain endurât un plaisir anxieux.

— Encore sept jours, Saha... soupira-t-il.

Dans sept jours, sept nuits, une vie nouvelle, dans un gîte nouveau, avec une jeune femme amoureuse et indomptée... Il caressa le pelage de la chatte, chaud et frais, fleurant le buis taillé, le thuya, le gazon bien nourri. Elle ronronnait à pleine gorge, et dans l'ombre elle lui donna un baiser de chat, posant son nez humide, un instant, sous le nez d'Alain, entre les narines et la lèvre. Baiser immatériel, rapide, et qu'elle n'accordait que rarement...

— Ah ! Saha, nos nuits...

Les phares d'une voiture, dans la plus proche avenue, percèrent les feuillages de deux blancs rais tournants. Sur le mur de la chambre passèrent les ombres agrandies du cytise, d'un tulipier isolé au milieu d'une pelouse. Au-dessus de son visage Alain vit briller et s'éteindre le visage de Saha, couchée et l'œil dur.

— Ne me fais pas peur ! pria-t-il.

Car à la faveur du sommeil, il redevenait faible, chimérique, attardé dans les rets d'une interminable et douce adolescence...

Il ferma les yeux, tandis que Saha, vigilante, suivait la ronde des signes qui s'ébattent, la lampe éteinte, autour des hommes endormis.

Il rêvait profusément, et descendait dans ses songes par étages. Au réveil, il ne racontait pas ses aventures nocturnes, jaloux d'un

22

domaine qu'avaient agrandi une enfance délicate et mal dirigée, des séjours au lit pendant sa croissance brusque de long garçonnet filiforme.

Il aimait ses songes, qu'il cultivait, et n'eût pour rien au monde trahi les relais qui l'attendaient. A la première halte, alors qu'il entendait encore les klaxons sur l'avenue, il rencontra des visages tournoyants et extensibles, familiers, difformes, qu'il traversa comme il eût traversé, en saluant çà et là, une foule bénigne. Tournoyants, convexes, ils s'approchaient d'Alain en grossissant. Clairs sur un champ sombre, ils devenaient plus clairs encore, comme s'ils eussent reçu du dormeur lui-même la lumière. Pourvus d'un gros œil, ils évoluaient selon une giration aisée. Mais une volte sous-marine les rejetait au loin, dès qu'ils avaient touché une cloison invisible. Dans l'humide regard d'un monstre rond, dans la prunelle d'une lune dodue ou dans celle de l'archange égaré, chevelu de rayons, Alain reconnaissait la même expression, la même intention, qu'aucun d'eux n'avait encore traduite, et que l'Alain du rêve enregistrait avec sécurité : « Ils me la diront demain. »

Parfois ils périssaient en éclatant, s'éparpillaient en déchets faiblement lumineux. D'autres fois, ils n'existaient qu'en tant que main, bras, front, globe optique plein de pensées, poussière astrale de nez, de mentons, et toujours cet œil bombé, qui, juste au moment de s'expliquer, tournait et ne montrait plus que son autre face noire...

Alain endormi poursuivit, sous la garde de Saha, son naufrage quotidien, dépassa l'univers des figures convexes et des yeux, descendit au travers d'une zone de noir qui n'admettait qu'un noir puissant, varié indiciblement et comme composé de couleurs immergées, aux confins de laquelle il prit pied dans le rêve mûr, complet et bien formé.

Il heurta une limite qui rendit un grand bruit, pareil au son fourmillant et prolongé de la cymbale. Et il déboucha dans la ville du songe, parmi les passants, les habitants debout sur leurs seuils, les gardiens de square couronnés d'or, et les figurants postés sur le passage d'Alain tout nu, armé d'une badine, extrêmement lucide et avisé : « Si je marche un peu vite, après avoir noué ma cravate d'une certaine manière, et surtout en sifflotant, il y a de grandes chances pour que personne ne s'aperçoive que je suis tout nu. » Il noua donc sa cravate en forme de cœur, et sifflota. « Ce n'est pas siffloter, ce que je fais là, c'est ronronner. Siffloter, c'est ainsi... » Mais il ronronnait encore. « Je ne suis pas au bout de mon rouleau. Il s'agit, en somme et simplement, de franchir cette place inondée de soleil, de contourner le kiosque où joue la musique militaire. C'est enfantin. Je m'élance, en faisant des sauts périlleux pour détourner l'attention, et je débarque dans la zone d'ombre... »

Mais il se sentit paralysé par le regard chaud et dangereux d'un figurant brun, au profil grec, perforé d'un grand œil de carpe... « La zone d'ombre... la zone de l'ombre... » Deux longs bras d'ombre, gracieux et tout clapotants de feuilles de peuplier, accoururent au mot « ombre » et emportèrent Alain pour qu'il reposât, pendant l'heure la plus ambiguë de la brève nuit, dans ce tombeau provisoire où le vivant exilé soupire, se mouille de pleurs, lutte et succombe, et renaît sans mémoire avec le jour.

LE soleil haut bordait la fenêtre quand Alain s'éveilla. La grappe jaune du cytise pendait, translucide, au-dessus de la tête de Saha, une Saha diurne, innocente et bleue, occupée à sa toilette.

— Saha !

— Me-rraing ! répondit la chatte avec éclat.

— Est-ce que c'est ma faute, si tu as faim ? Tu n'avais qu'à aller demander ton lait en bas, si tu es pressée.

Elle s'adoucit à la voix de son ami, répéta la même parole plus bas, montrant sa gueule sanguine, plantée de canines blanches. Sous le regard plein de loyal et exclusif amour, Alain s'alarma : « Mon Dieu, cette chatte... que faire de cette chatte... J'avais oublié que je me marie... Et la nécessité d'habiter chez Patrick... »

Il se tourna vers le portrait, serti d'acier

chromé, où Camille brillait comme baignée d'huile, une grande flaque-miroir sur ses cheveux, la bouche en émail vitrifié d'un noir d'encre, les yeux vastes entre deux palissades de cils.

— Beau travail de professionnel, grommela Alain.

Il ne se souvenait plus qu'il avait choisi lui-même, pour sa chambre, cette photographie qui ne ressemblait ni à Camille, ni à personne. « Cet œil... J'ai vu cet œil... »

Il prit un crayon et rétrécit légèrement l'œil, atténua l'excès de blanc et ne réussit qu'à gâter l'épreuve.

— Mouek mouek mouek... Ma-a-a-a... Ma-a-a-a... dit Saha, en s'adressant à un petit bombyx prisonnier entre la vitre et le rideau de tulle.

Son menton léonin tremblait, et elle bégayait de convoitise. Alain cueillit le papillon entre deux doigts pour l'offrir à la chatte.

— Hors-d'œuvre, Saha !

Un râteau, dans le jardin, peignait nonchalamment le gravier. Alain vit en lui-même la main qui guidait le râteau, une main de femme vieillissante, main machinale, obstinée et douce, sous un gros gant blanc de gendarme...

— Bonjour, maman ! cria-t-il.

Une voix de loin lui donna une réponse,

voix dont il n'écoutait pas les paroles, murmure affectueux, insignifiant et nécessaire... Il descendit en courant, la chatte aux talons. Au grand jour, elle savait se changer en une sorte de chien turbulent, dégringoler bruyamment l'escalier, gagner le jardin par sauts rudes et dépouillés de magie.

Elle s'assit sur la petite table du déjeuner, parmi les médailles de soleil, à côté du couvert d'Alain. Le râteau, qui s'était tu, reprit lentement sa tâche.

Alain versa le lait de Saha, y délaya une pincée de sel et une pincée de sucre, puis se servit avec gravité. Quand il déjeunait seul, il n'avait pas à rougir de certains gestes élaborés par le vœu inconscient de l'âge maniaque, entre la quatrième et la septième année. Il pouvait librement aveugler de beurre tous les « yeux » du pain, et froncer le sourcil lorsque le niveau du café au lait, dans sa tasse, dépassait une cote de crue marquée par certaine arabesque d'or. A la première tartine épaisse devait succéder une seconde tartine mince, tandis que la deuxième tasse réclamait un morceau de sucre supplémentaire... Enfin un tout petit Alain, dissimulé au fond d'un grand garçon blond et beau, attendait impatient que la fin du déjeuner lui permît de lécher en tous sens la cuiller du pot à miel, une vieille cuiller d'ivoire noircie et cartilagineuse.

« Camille, en ce moment, déjeune debout, en marchant. Elle mord à même une lame de jambon maigre, serrée entre deux biscottes, et dans une pomme d'Amérique. Et elle pose et oublie, de meuble en meuble, une tasse de thé sans sucre... »

Il leva les yeux sur son domaine d'enfant privilégié, qu'il chérissait et croyait connaître. Au-dessus de sa tête les vieux ormes, sévèrement taillés en charmilles, ne frémissaient que du bout de leurs jeunes feuilles. Un édredon de silènes roses, à margelle de myosotis, trônait sur une pelouse. L'arbre mort laissait pendre, de son coude décharné, une écharpe de polygonum émue à chaque souffle, mêlée de clématites violettes à quatre pétales. Un des appareils d'arrosage, debout sur son pied unique, rouait sur le gazon, ouvrant sa queue de paon blanc barrée d'un instable arc-en-ciel.

« Un si beau jardin... Un si beau jardin... », dit Alain tout bas. Il mesura, offensé, l'amas silencieux de gravats, de poutrelles et de plâtre en sacs qui déshonorait l'ouest de la maison. « Ah ! c'est dimanche, ils ne travaillent pas. Pour moi c'était dimanche toute la semaine... » Quoique jeune et capricieux, et choyé, il vivait selon le rythme commercial des six jours et *sentait* le dimanche.

Un pigeon blanc furtif bougea derrière les wégélias et les deutzias à grappes rosées. « Ce n'est pas un pigeon, c'est la main gantée de maman. » Le gros gant blanc, à ras de terre, relevait une tige, pinçait des brins d'herbe folle crûs en une nuit. Deux verdiers, sur le gravier, vinrent cueillir les miettes du déjeuner, et Saha les suivit de l'œil sans s'échauffer. Mais une mésange, suspendue la tête en bas dans un orme, au-dessus de la table, appela la chatte par défi. Assise, les pattes jointes, son jabot de belle femme tendu et la tête en arrière, Saha tâchait de se vaincre, mais ses joues enflaient de fureur et ses petites narines se mouillaient.

— Aussi belle qu'un démon ! Plus belle qu'un démon, lui dit Alain.

Il voulut caresser le crâne large, habité d'une pensée féroce, et la chatte le mordit brusquement pour dépenser son courroux. Il regarda sur sa paume deux petites perles de sang, avec l'émoi coléreux d'un homme que sa femelle a mordu en plein plaisir.

— Mauvaise... Mauvaise... Regarde ce que tu m'as fait...

Elle baissa le front, flaira le sang, et interrogea craintivement le visage de son ami. Elle savait comment l'égayer et l'attendrir, et

cueillit sur le napperon une biscotte qu'elle
tint à la manière des écureuils.

La brise de mai passait sur eux, courbait
un rosier jaune qui sentait l'ajonc en fleur.
Entre la chatte, le rosier, les mésanges par couples et les derniers hannetons, Alain goûta les
moments qui échappent à la durée humaine,
l'angoisse et l'illusion de s'égarer dans son
enfance. Les ormes grandirent démesurément,
l'allée élargie se perdit sous les arceaux d'une
treille défunte, et comme le dormeur hanté
qui choit d'une tour, Alain reprit conscience
de sa vingt-quatrième année.

« J'aurais dû dormir une heure de plus. Il
n'est que neuf heures et demie. C'est dimanche. Hier aussi pour moi c'était dimanche.
Trop de dimanches... Mais demain... »

Il sourit à Saha d'un air complice.
« Demain, Saha, c'est l'essayage fini de la
robe blanche. Sans moi. C'est une surprise...
Camille est assez brune pour que le blanc
l'embellisse... Pendant ce temps-là, je verrai
la voiture. Ça fait un peu kiki, un peu radin,
comme dit Camille, un roadster... Voilà ce
qu'on gagne à être « des mariés si jeunes... »

D'un bond vertical, montant dans l'air
comme un poisson vers la surface de l'eau, la
chatte atteignit une piéride bordée de noir.
Elle la mangea, toussa, recracha une aile, se
lécha avec affectation. Le soleil jouait sur son

32

pelage de chatte des Chartreux, mauve et bleuâtre comme la gorge des ramiers.

— Saha !

Elle tourna la tête et lui sourit sans détour.

— Mon petit puma ! bien-aimée chatte ! créature des cimes ! Comment vivras-tu si nous nous séparons ? Veux-tu que nous entrions tous deux dans les ordres ? Veux-tu... je ne sais pas, moi...

Elle l'écoutait, le regardait d'un air tendre et distrait, mais, à une inflexion plus tremblante de la voix amie, elle lui retira son regard.

— D'abord, tu viendras avec nous, tu ne détestes pas la voiture. Si nous avons le cabriolet à la place du roadster, derrière les sièges il y a un rebord...

Il se tut et s'assombrit au souvenir récent d'une voix de jeune fille, vigoureuse, timbrée à souhait pour les appels en plein air, hardiment appuyée sur les grandes voyelles A et O, qui savait rappeler les nombreux mérites du roadster. « Et puis quand on couche le pare-brise, Alain, c'est épatant, à pleins gaz on sent la peau des joues qui vous recule jusqu'aux oreilles... »

— Qui recule jusqu'aux oreilles, tu t'imagines, Saha ? Quelle horreur...

Il serra les lèvres, fit une longue figure d'enfant buté, expert à la dissimulation.

« Ça n'est pas dit encore. Si j'aime mieux le cabriolet, moi ? Je pense que j'ai tout de même voix au chapitre ? »

Il toisa le rosier jaune comme si ce fût la jeune fille à la belle voix. Derechef, l'allée s'élargit, les ormes montèrent, la treille morte ressuscita. Tapi contre les jupes de deux ou trois parentes, hautaines et le front dans les nues, un Alain enfant épiait une autre famille compacte, entre les blocs de laquelle brillait une fillette très brune, dont les larges yeux et les cheveux noirs en rouleaux rivalisaient d'éclat hostile et minéral. « Dis bonjour... Pourquoi ne veux-tu pas dire bonjour ?... » C'était une voix d'autrefois, affaiblie, conservée par des années d'enfance, d'adolescence, de collège, d'ennui militaire, de fausse gravité, de fausse compétence commerciale. Camille ne voulait pas dire bonjour. Elle suçait sa joue à l'intérieur de sa bouche et esquissait roidement la courte révérence des fillettes. « Maintenant, elle appelle ça la révérence à la tords-toi-le-pied. Mais quand elle est en colère, elle se mord encore le dedans de la joue. Et c'est curieux, dans ces moments-là, elle n'est pas laide. »

Il sourit et s'échauffa honnêtement sur sa fiancée, content en somme qu'elle fût saine, un peu banale dans la fougue sensuelle. A la face du matin innocent, il provoqua des images

34

propres, tantôt à exciter sa vanité et sa hâte, tantôt à engendrer l'appréhension, voire le désarroi. En sortant de son trouble, il trouva le soleil trop blanc et le vent sec. La chatte avait disparu, mais dès qu'Alain se leva elle fut auprès de lui et l'accompagna, marchant d'un long pas de biche et évitant les grains ronds du gravier rosé. Ils allèrent ensemble jusqu'aux « travaux », inspectèrent avec une hostilité égale le tas de gravats, une porte-fenêtre neuve, sans vitres, insérée dans un mur, des appareils d'hydrothérapie et des carreaux de faïence.

Pareillement offensés, ils supputaient le dommage causé à leur passé et à leur présent. Un vieil if, arraché, mourrait très lentement, la tête en bas, sous sa chevelure de racines. « Jamais, jamais je n'aurais dû permettre cela », murmura Alain. « C'est une honte. Toi, Saha, tu ne le connais que depuis trois ans, cet if. Mais moi... »

Au fond du trou laissé par l'if, Saha flairait une taupe dont l'image, sinon l'odeur, lui monta au cerveau.

Pendant une minute, elle s'oublia jusqu'à la frénésie, gratta comme un fox-terrier, se roula comme un lézard, sauta des quatre pattes comme un crapaud, couva une pelote de terre entre ses cuisses comme fait le rat des champs de l'œuf qu'il a volé, s'échappa du trou par une série de prodiges et se trouva assise sur le gazon, froide et prude et domptant son souffle.

Alain, grave, n'avait pas bougé. Il savait tenir son sérieux, quand les démons de Saha l'entraînaient hors d'elle-même. L'admiration et la compréhension du chat, il les portait innées en lui, rudiments qui lui donnèrent, par la suite, de traduire Saha avec facilité. Il la lisait comme un chef-d'œuvre, depuis le jour où, au sortir d'une exposition féline, Alain avait posé sur le gazon ras de Neuilly une petite chatte de cinq mois, achetée à cause de sa figure parfaite, à cause de sa précoce dignité, de sa modestie sans espoir derrière les barreaux d'une cage.

— Pourquoi n'avez-vous pas acheté plutôt un angora ? demanda Camille...

« Elle me disait vous dans ce temps-là », songeait Alain. « Ce n'était pas seulement une petite chatte que j'apportais. C'étaient la noblesse féline, son désintéressement sans bornes, son savoir-vivre, ses affinités avec l'élite humaine... » Il rougit et s'excusa mentalement. « Saha, l'élite, c'est ce qui te comprend le mieux... »

Il n'en était pourtant pas encore à penser « ressemblance » au lieu de « compréhension »,

36

car il appartenait à un milieu humain qui s'interdit de reconnaître et même de concevoir ses parentés animales. Mais à l'âge de convoiter une automobile, un voyage, une reliure rare, des skis, Alain n'en demeura pas moins le jeune-homme-qui-a-acheté-un-petit-chat. Son étroit univers en retentit, les employés de la Maison Amparat et Fils, rue des Petits-Champs, s'étonnèrent, et M. Veuillet s'enquit de la « petite bestiole »...

« Avant de t'avoir choisie, Saha, je n'aurais peut-être jamais su qu'on peut choisir. Pour le reste... Mon mariage contente tout le monde et Camille, et il y a des moments où il me contente aussi, mais... »

Il se leva du banc vert, prit le sourire important du fils Amparat qui épouse, condescendant, la petite des essoreuses Malmert, « une jeune fille qui n'est pas tout à fait de notre bord », disait Mme Amparat. Mais Alain n'ignorait pas que les Machines-à-laver-Malmert, parlant entre eux des Amparat-de-la-soie, n'oubliaient pas de mentionner, en levant haut le menton : « Les Amparat ne sont plus dans la soie, la mère et le fils ont seulement conservé des intérêts dans la maison, et le fils n'y fait pas figure de maître... »

Guérie de son extravagance, l'œil doux et doré, la chatte sembla attendre la reprise de

la confidence mentale, du murmure télé-
pathique vers lequel elle tendait son oreille
ourlée d'argent.

« Tu n'es pas qu'un pur et étincelant esprit
de chat, toi non plus », reprit Alain. « Ton premier séducteur, le matou blanc sans queue,
rappelle-toi, ô ma laide, ô ma coureuse sous
la pluie, ô ma dévergondée... »

— Ce qu'elle est mauvaise mère, votre
chatte ! s'écriait Camille, indignée. Elle n'y
pense même plus, à ses petits qu'on lui a ôtés !

« Mais c'étaient des paroles de jeune fille »,
reprit Alain, défiant. « Les jeunes filles sont
toujours bonnes mères, avant. »

Un coup de timbre grave et rond tomba de
haut de l'air tranquille, et Alain se leva d'un
saut comme un coupable, au bruit du gravier
écrasé sous les roues.

« Camille ! Il est onze heures et demie...
Bon Dieu !.. ».

Il croisait la veste de son pyjama, resserrait
la ceinture d'une main si nerveuse qu'il se
gourmanda : « Allons, qu'est-ce que j'ai ? J'en
verrai bien d'autres dans une semaine... Saha,
tu viens à la rencontre ? »

Mais Saha avait disparu, et déjà Camille
foulait, d'un talon hardi, le gazon. « Ah ! Elle
est vraiment bien... » Un bond agréable de

son sang lui serra la gorge, lui rougit les joues, et il fut tout au spectacle de Camille en blanc, un petit pinceau noir de cheveux bien taillés sur les tempes, une mince cravate rouge au cou, et le même rouge sur sa bouche. Fardée avec art, avec modération, sa jeunesse ne devenait évidente qu'au bout d'un instant, et révélait la joue blanche sous l'ocre, la paupière sans pli sous un peu de poudre beige, autour du grand œil presque noir. Son diamant tout neuf à sa main gauche taillait la lumière en mille éclats colorés.

— Oh ! s'écria-t-elle, tu n'es pas prêt !... Par ce temps !...

Mais elle s'arrêta aux rudes cheveux blonds désordonnés, à la poitrine nue sous le pyjama, à la confusion qui colorait Alain, et tout son visage de jeune fille avoua si clairement la chaude indulgence d'une femme qu'Alain n'osa plus lui donner le baiser de midi moins le quart, celui du jardin ou du Bois.

— Embrasse-moi, supplia-t-elle tout bas, comme si elle lui demandait secours.

Gauche, inquiet, et mal défendu sous son pyjama léger, il désigna d'un signe les arbustes à grappes roses, d'où venait le bruit du sécateur et du râteau, et Camille n'osa pas se jeter à son cou. Elle baissa les yeux, cueillit une feuille, ramena sur sa joue le pinceau lustré de ses cheveux, mais, au mouvement de son menton levé et au battement de ses narines, Alain voyait qu'elle cherchait dans l'air, sauvagement, la fragrance d'un corps blond, à peine couvert, et dont il jugea secrètement qu'elle n'avait pas assez peur.

A SON réveil, il ne s'assit pas d'un bond sur son lit. Hanté dans son sommeil par la chambre étrangère, il entrouvit ses cils, éprouva que la ruse et la contrainte ne l'avaient pas tout à fait quitté pendant son sommeil, car son bras gauche étendu, délégué aux confins d'une steppe de toile, se tenait prêt à reconnaître, prêt aussi à repousser... Mais tout le vaste lit à sa gauche était vide et rafraîchi. N'étaient, en face du lit, l'angle à peine arrondi de la chambre à trois parois, et l'insolite obscurité verte, et la tige de clarté vive, jaune comme une canne d'ambre, qui séparait deux rideaux d'ombre raide, Alain se fût rendormi, bercé d'ailleurs par une petite chanson nègre à bouche fermée.

Avec précaution, il tourna la tête, entrouvrit les yeux et vit, tantôt blanche et tantôt bleu clair selon qu'elle baignait dans l'étroit ruisseau de soleil ou qu'elle regagnait la pénombre, une jeune femme nue, un peigne à la main, la cigarette aux lèvres, qui fredonnait. « C'est du toupet », pensa-t-il. « Toute nue ? Où se croit-elle ? »

Il reconnut les belles jambes qui lui étaient dès longtemps familières mais le ventre, raccourci par le nombril placé un peu bas, l'étonna. Une jeunesse impersonnelle sauvait la fesse musclée, et les seins étaient légers au-dessus des côtes visibles. « Elle a donc maigri ? » L'importance du dos, aussi large que la poitrine, choqua Alain. « Elle a le dos peuple... » Justement Camille s'accouda à l'une des fenêtres, bomba le dos et remonta les épaules. « Elle a un dos de femme de ménage. » Mais elle se redressa soudain, dansa deux enjambées, fit un geste charmant d'étreinte dans le vide. « Non, ce n'est pas vrai, elle est belle. Mais quelle... mais quel culot ! Elle me croit mort ? Ou bien elle trouve tout naturel de se balader toute nue ? Oh ! mais ça changera... »

Comme elle se tournait vers le lit, il referma les yeux. Quand il les rouvrit, Camille s'était assise devant la coiffeuse qu'ils nommaient « la coiffeuse invisible », une planche translucide de beau cristal épais posé sur une armature d'acier noir. Elle poudra son visage, palpa du bout des doigts sa joue, son menton, et tout à coup sourit en détournant son regard avec une gravité et une lassitude qui désarmèrent Alain. « Elle est donc heureuse ?... Heureuse de quoi ? Je ne le mérite guère... Mais pourquoi est-elle nue ?... »

— Camille ! cria-t-il.

Il croyait qu'elle allait fuir vers la salle de bains, croiser ses mains sur son sexe, voiler ses seins de quelque lingerie froissée ; mais elle accourut, se pencha sur le jeune homme couché, et lui apporta, blottie sous ses bras, réfugiée dans l'algue d'un bleu sombre qui fleurissait son petit ventre quelconque, sa vigoureuse odeur de brune.

— Mon chéri ! Tu as bien dormi ?

— Toute nue ! reprocha-t-il.

Elle agrandit comiquement ses grands yeux.

— Ben, et toi ?

Découvert jusqu'à la ceinture, il ne sut que répondre. Elle paradait pour lui, si fière et si loin de la pudeur qu'il lui jeta, un peu rudement, le pyjama froissé qui gisait sur le lit.

— Vite, mets ça ! J'ai faim, moi !

— La mère Buque est à son poste, tout marche et tout fonctionne !

Elle disparut et Alain voulut se lever, se vêtir, lisser ses cheveux mêlés, mais Camille revint ficelée dans un gros peignoir de bain neuf et trop long ; elle portait gaiement un plateau chargé.

— Quelle salade, mes enfants ! Y a un bol de cuisine, une tasse en pyrex, le sucre dans un couvercle de boîte... Tout ça se tassera... Mon jambon est sec... Ces pêches chlorotiques, c'est des restes du lunch... La mère Buque est un peu perdue dans sa cuisine électrique. Je lui apprendrai à remettre les plombs... Et puis j'ai versé de l'eau dans les compartiments à glace du frigidaire... Ah ! si je n'étais pas là !... Monsieur a son café très chaud et son lait bouillant, et son beurre raide... Non, ça c'est mon thé, ne touche pas ! Qu'est-ce que tu cherches ?

— Non, rien...

A cause de l'odeur du café, il cherchait Saha.

— Quelle heure est-il ?

— Enfin un mot tendre ! s'écria Camille. Très tôt, mon époux. J'ai vu huit heures un quart au réveil de la cuisine.

Ils mangèrent en riant fréquemment et en parlant peu.

A l'odeur croissante des rideaux de toile cirée verte, Alain devinait la force du soleil qui les échauffait, et il ne pouvait détacher sa pensée de ce soleil extérieur, de l'horizon étranger, des neuf étages vertigineux, de la

44

bizarre architecture du Quart-de-Brie qui, pour un temps, les abritait.

Il écoutait Camille aussi bien qu'il le pouvait, touché qu'elle feignît l'oubli de ce qui s'était passé entre eux la nuit, qu'elle affectât l'expérience dans ce logis de hasard, et la désinvolture d'une vieille mariée de huit jours au moins. Depuis qu'elle était vêtue il cherchait comment lui témoigner sa gratitude. « Elle ne m'en veut ni de ce que je lui ai fait, ni de ce que je ne lui ai pas fait, pauvre petite... Enfin, le plus embêtant est passé. Est-ce souvent cet à-peu-près, cette meurtrissure, une première nuit ? Ce demi-succès, ce demi-désastre... »

Cordialement, il lui passa son bras au cou et l'embrassa.

— Oh !... tu es gentil !...

Elle avait crié si haut, d'un tel cœur qu'elle rougit, et il lui vit les yeux pleins de larmes. Mais courageusement elle fuit leur émotion et sauta du lit sous prétexte d'emporter le plateau. Elle courut vers les fenêtres, se prit le pied sans son peignoir trop long, jura un gros juron et se suspendit à un cordage de bateau. Les rideaux de toile cirée se replièrent. Paris avec sa banlieue, bleuâtres et sans bornes comme le désert, tachés de verdures encore claires, de verrières d'un bleu d'insecte, entrèrent d'un bond dans la chambre triangulaire, qui n'avait qu'une paroi de ciment, les deux autres étant de verre à mi-hauteur.

— C'est beau, dit Alain, à mi-voix.

Mais il mentait à demi et sa tempe cherchait l'appui d'une jeune épaule, d'où glissait le peignoir éponge. « Ce n'est pas un logis humain... Tout cet horizon chez soi, dans son lit... Et les jours de tempête ? Abandonnés au sommet d'un phare, parmi les albatros... »

Le bras de Camille, qui l'avait rejoint sur le lit, lui tenait le cou, et elle regardait sans peur tour à tour les vertigineuses limites de Paris et la blonde tête désordonnée. Sa fierté nouvelle, qui semblait faire crédit à la prochaine nuit, aux jours suivants, se contentait sans doute des licences d'aujourd'hui : fouler le lit commun, étayer, de l'épaule et de la hanche, un corps nu de jeune homme, s'habituer à sa couleur, à ses courbes, à ses offenses, appuyer avec assurance le regard sur les secs petits tétons, les reins qu'elle enviait, l'étrange motif du sexe capricieux...

Ils mordirent la même pêche insipide, et rirent en se montrant leurs belles dents mouillées, leurs gencives un peu pâles d'enfants fatigués.

— Cette journée d'hier !... soupira Camille. Quand on pense qu'il y a des gens qui se marient si souvent !...

La vanité lui revint, et elle ajouta :

— C'était d'ailleurs très bien. Aucun accroc. N'est-ce pas ?

— Oui, dit Alain mollement.

— Oh ! toi... C'est comme ta mère ! Je veux dire que du moment qu'on n'abîmait pas le gazon de votre jardin, et qu'on ne jetait pas de mégots sur votre gravier, vous trouviez tout très bien. N'est-ce pas ? N'empêche que notre mariage aurait été plus joli à Neuilly. Seulement ça aurait dérangé la chatte sacrosainte... Dis, méchant, dis ?... Qu'est-ce que tu regardes tout autour de toi ?

— Rien, dit-il sincèrement, puisqu'il n'y a rien à regarder. J'ai vu la coiffeuse, j'ai vu la chaise, — nous avons vu le lit...

— Tu ne vivrais pas ici ? Moi, je m'y plais bien. Songe, trois pièces, et trois terrasses ! Si on y restait ?

— On dit : « Si nous y restions ? »

— Alors pourquoi dis-tu : « On dit ? » Oui, si on y restait, comme *nous* disions ?

— Mais Patrick revient de sa croisière dans trois mois.

— La belle affaire ! Il revient. On lui explique qu'on veut rester. Et on le fout dehors.

— Oh !... Tu ferais ça ?

Elle secoua affirmativement sa huppe noire, avec une rayonnante et féminine aisance dans la malhonnêteté. Alain voulut la regarder sévèrement, mais sous son regard Camille changea, devint craintive comme il se sentait craintif lui-même, alors il lui baisa la bouche précipitamment.

Muette, empressée, elle lui rendit le baiser en cherchant, d'un mouvement des reins, le creux du lit ; en même temps sa main libre, qui serrait un noyau de pêche, tâtonnait dans l'air à la rencontre d'une tasse vide ou d'un cendrier.

Penché sur elle, il attendit, en la flattant de la main, que sa compagne eût rouvert les yeux.

Elle serrait ses cils sur deux petites larmes scintillantes qu'elle ne voulait pas laisser couler, il respecta cette discrétion et cette fierté. Ils avaient fait de leur mieux, elle et lui, en silence, aidés par la chaleur matinale, par leurs deux corps odorants et faciles.

Alain se souvenait du souffle accéléré de Camille et qu'elle avait fait preuve d'une chaude docilité, d'un zèle un peu intempestif, si agréable... Elle ne lui rappelait aucune femme ; il n'avait pensé, en la possédant pour la seconde fois, qu'aux ménagements qu'elle méritait. Elle gisait contre lui, bras et jambes mollement pliés, les mains à demi fermées et féline pour la première fois. « Où est Saha ?... »

Machinalement, il esquissa, sur Camille,

une caresse « pour Saha », les ongles promenés délicatement le long du ventre... Elle cria de saisissement et raidit ses bras, dont l'un gifla Alain qui faillit lui rendre coup pour coup. Assise, l'œil hostile sous une huppe de cheveux dressés, Camille le menaçait du regard.

— Est-ce que tu serais vicieux, par hasard ?

Il n'attendait rien de pareil et éclata de rire.

— Il n'y a pas de quoi rire ! cria Camille. On m'a toujours dit que les hommes qui chatouillent les femmes sont des vicieux, et même des sadiques !

Il quitta le lit pour mieux rire, en oubliant qu'il était nu.

Camille se tut si brusquement qu'il se retourna et surprit son visage épanoui, ébahi, attentif à tout ce jeune homme qu'une nuit de mariage venait de lui donner.

— Je prends la salle de bains dix minutes, tu permets ?

Il ouvrit la porte de glaces, pratiquée à une des extrémités de la paroi la plus longue qu'ils nommaient l'hypoténuse.

— Et puis je passerai une minute chez ma mère.

— Oui... Tu ne veux pas que je t'accompagne ?

Il parut choqué et elle rougit pour la première fois de la journée.

— Je verrai si les travaux...

— Oh ! les travaux... Ils t'intéressent, toi, les travaux ? Avoue — elle croisa les bras en tragédienne — avoue que tu vas voir ma rivale !

— Saha n'est pas ta rivale, dit Alain simplement.

« Comment serait-elle ta rivale ? », poursuivit-il en lui-même. « Tu ne peux avoir de rivales que dans l'impur... »

— Je n'avais pas besoin d'une protestation aussi sérieuse, mon chéri. Va vite ! Tu n'oublies pas qu'on déjeune chez le père Léopold, en garçons ? Enfin garçons ! Tu rentreras tôt ? Tu n'oublies pas qu'on rode ? Tu m'entends ?...

Il entendait surtout que le mot « rentrer » prenait une signification nouvelle, saugrenue, peut-être inacceptable, et il regarda Camille de biais. Elle arborait, revendiquait sa fatigue de jeune mariée, le gonflement léger de sa paupière inférieure sous l'angle ouvert du grand œil. « Auras-tu toujours, à toute heure, dès que tu sors du sommeil, un si grand œil ? Ne sais-tu pas fermer les yeux à demi ? Cela me fait mal à la tête de voir des yeux si ouverts... »

Il trouvait un plaisir déshonnête, une commodité évasive à l'interpeller en lui-même. « C'est moins désobligeant que la sincérité, en somme... » Il eut hâte d'atteindre la baignoire carrée, l'eau chaude, une solitude propice à la méditation. Mais comme la porte de miroirs ménagée dans l'hypoténuse le réfléchissait de la tête aux pieds, Alain l'ouvrit avec une lenteur complaisante, et ne se pressa pas de la refermer.

Pour sortir de l'appartement une heure après, il se trompa, déboucha sur l'une des terrasses qui bordaient le Quart-de-Brie, et reçut en plein visage le sec coup d'éventail du vent d'Est qui bleuissait Paris, emportait les fumées et décapait au loin le Sacré-Cœur. Sur le parapet de ciment, cinq ou six vases, apportés par des mains bien intentionnées, contenaient des roses blanches, des hydrangéas, des lis souillés de leur pollen... « Ça n'est jamais joli, le dessert de la veille... » Pourtant il abrita du vent, avant de descendre, les fleurs malmenées.

Il pénétra dans le jardin en adolescent qui a découché. La capiteuse odeur des terreaux sous l'arrosage, la secrète vapeur d'immondices qui nourrit les fleurs grasses et coûteuses, les perles d'eau chassées par la brise, il les aspira d'une longue haleine et découvrit, dans le même moment, qu'il avait besoin d'être consolé.

— Saha ! Saha !

Elle ne vint qu'au bout d'un moment, et il ne reconnut pas tout de suite ce visage égaré, incrédule, comme voilé par un mauvais songe.

— Saha chérie !

Il la prit sur sa poitrine, lissant les doux flancs qui lui semblèrent un peu creux, et détacha, du pelage négligé, des soies d'araignée, des brindilles de pin et d'orme... Elle se reprenait rapidement, ramenait sur ses traits, dans ses yeux d'or pur, une expression familière et la dignité du chat... Sous ses pouces,

Alain percevait les palpitations d'un petit cœur irrégulier et dur et aussi un ronronnement naissant, mal assuré... Il la posa sur une table de fer et la caressa. Mais au moment de jeter, follement et pour la vie comme elle savait le faire, sa tête dans la main d'Alain, elle flaira cette main et recula d'un pas.

Il cherchait des yeux le pigeon blanc, la main gantée derrière les arbustes à grappes rosées, derrière les rhododendrons enflammés de fleurs. Il se réjouissait que la « cérémonie » d'hier, respectant le beau jardin, eût ravagé seulement le logis de Camille.

« Ces gens, ici... Et ces quatre filles d'honneur en papier rose... Et les fleurs qu'elles auraient cueillies, et les deutzias sacrifiés aux corsages des grosses dames... Et Saha... »

Il cria, vers la maison :

— Est-ce que Saha a mangé et bu ? Elle a un drôle d'air... Je suis là, maman...

Sur le seuil du hall parut une lourde silhouette blanche, qui répondit de loin :

— Non, figure-toi. Ni dîné, ni bu son lait ce matin. Je crois qu'elle t'attendait... Tu vas bien, mon petit ?

Il se tenait déférent devant sa mère, en bas du perron. Il remarqua qu'elle ne lui tendait pas la joue comme d'habitude, et qu'elle gardait ses mains contre sa ceinture, nouées l'une à l'autre. Il comprit et partagea, avec gêne et gratitude, cette pudeur maternelle. « Saha non plus ne m'a pas embrassé... »

— Car enfin, la chatte, elle t'a vu souvent partir. Elle prenait son parti de tes absences.

« Mais j'allais moins loin », pensait-il. Près de lui, sur le guéridon de fer, Saha but avidement son lait, comme une bête qui a beaucoup marché et peu dormi.

— Tu ne veux pas une tasse de lait chaud, Alain, toi aussi ? Une tartine ?

— J'ai déjeuné, maman... Nous avons déjeuné...

— Déjeuné... pas trop bien, je pense. Dans un pareil caravansérail !...

Alain sourit parce que sa mère disait toujours « caravansérail » pour « capharnaüm ». D'un œil d'exilé, il contempla la tasse à arabesque d'or, à côté de la soucoupe de Saha, puis le visage de sa mère, épaissi, aimable sous de gros cheveux crépelés, précocement blancs.

— Je ne t'ai pas demandé si ma nouvelle fille est contente...

Elle eut peur qu'il comprît mal et ajouta précipitamment :

— ...enfin, si elle est en bonne santé.

— Très bonne, maman... Nous déjeunons en forêt de Rambouillet, on va roder...

Il se reprit :

— Nous allons roder la voiture, vous comprenez...

Ils restèrent seuls, Saha et lui, dans le jardin, engourdis tous deux de fatigue, de silence, appelés par le sommeil.

La chatte s'endormit brusquement sur le flanc, le menton en l'air, les canines découvertes comme un fauve mort ; des plumules de l'arbre-à-perruque, des pétales de clématites pleuvaient sur elle sans qu'elle tressaillît au fond du rêve où elle goûtait sans doute la sécurité, la présence inaliénable de son ami. Son attitude vaincue, les coins tirés et pâlis de sa lèvre gris pervenche avouaient une nuit de veille misérable.

Au haut du fût desséché, drapé de plantes grimpantes, un vol d'abeilles, sur le lierre en fleur, soutenait une note de timbale grave, la même note depuis tant d'étés... « Dormir là, sur l'herbe, entre le rosier jaune et la chatte... Camille ne viendrait qu'à l'heure du dîner, ce serait très gentil... Et la chatte, mon Dieu, la chatte... » Du côté des « travaux » un rabot pelait une volige, un marteau de fer battait une poutrelle métallique, et déjà Alain ébauchait un rêve villageois peuplé de mystérieux forgerons... Aux onze coups tombant d'un campanile de lycée, il se dressa et s'enfuit sans oser éveiller la chatte.

Vinrent juin et les plus longs jours, ses ciels nocturnes sans mystère, dont une lueur attardée au couchant, une autre lueur levante sur l'Est de Paris, soulevaient les bords. Mais juin n'est cruel qu'aux citadins sans voiture, encadrés étroitement de pierre chaude, qu'à l'homme serré contre l'homme. Autour du Quart-de-Brie, un air sans cesse agité tourmentait les stores jaunes, traversait la chambre triangulaire et le studio, butait contre la proue du bâtiment et desséchait les petites haies de troènes en caisses sur les terrasses. Les promenades quotidiennes aidant, Alain et Camille vivaient doucement, assagis et ensommeillés par la chaleur et la volupté.

« Pourquoi est-ce que je la nommais une jeune fille indomptée ? » se demandait Alain étonné. Camille jurait moins en voiture, perdait quelques âpretés de langage, et aussi son appétit des « boîtes » où chantent les jeunes femmes tziganes à naseaux de cavales.

Elle mangeait et dormait longtemps, ouvrait très grands ses yeux adoucis, se détachait de vingt projets d'été, et s'intéressait aux « travaux » qu'elle visitait chaque jour. Il lui arrivait de s'attarder longuement dans le jardin de Neuilly, où Alain, au sortir de l'ombreuse maison Amparat fils et Cie, rue des Petits-Champs, la retrouvait oisive, prête à prolonger l'après-midi, prête à rouler sur les routes chaudes.

Alors, il s'assombrissait. Il l'écoutait donner des ordres aux peintres chanteurs, aux électriciens distants. Elle l'interrogeait, d'une manière générale et péremptoire, comme si elle quittait par devoir, et dès qu'il était là, sa nouvelle douceur...

— Ça va, les affaires ? La crise s'annonce toujours ? Tu leur en loges, aux princes de la couture, du foulard à pois ?

Elle ne respectait même pas le vieil Émile, qu'elle secouait jusqu'à en faire choir des formules empreintes d'une imbécillité pythique.

— Qu'est-ce que vous en pensez, Émile, de notre cagibi ? Vous n'aurez jamais vu la maison si belle ?

Le vieux valet murmurait, entre ses favoris, des réponses comme lui sans fond ni couleur.

— Ça ne se reconnaît plus... On m'aurait dit, autrefois, que ce serait une maison par petits compartiments... Il y a de la différence... On sera bien les uns chez les autres, c'est très gai...

Ou bien il versait goutte à goutte, sur Alain, des bénédictions sourdement éclairées d'un sens hostile.

— La jeune dame de M. Alain prend bien bonne mine. Et elle a bonne voix aussi. On l'entend de chez nos voisins tant qu'elle parle bien. Une voix à ne pas la disputer, ah ! mais... La jeune dame dit bien ce qu'elle veut dire. Elle a prétendu au jardinier que le massif de silènes et de myosotis faisait cucu... J'en ris encore.

Et il levait vers le ciel pur un œil pâle, couleur d'huître grise, qui n'avait jamais ri. Alain non plus ne riait pas. Saha le rendait soucieux. Elle maigrissait, et semblait abandonner un espoir, qui sans doute était l'espoir de revoir Alain chaque jour, et seul. Elle ne s'enfuyait plus lorsque Camille arrivait. Mais elle n'escortait pas Alain jusqu'à la grille, et elle le regardait, lorsqu'il s'asseyait près d'elle, avec une profonde et amère sagesse. « Son regard de petit chat derrière les barreaux, le même, le même regard... » Il l'appelait tout bas : « Saha... Saha... » en soufflant très fort les h. Mais elle ne bondissait pas, ni ne couchait les oreilles, et il y avait bien des jours qu'elle n'avait crié son éclatant : « Merrraing ! » ni les « Mouek-mouek-mouek » de la bonne humeur et de la convoitise.

Un jour qu'ils avaient été, Camille et lui, convoqués à Neuilly pour constater que la nouvelle baignoire-piscine, carrée, épaisse, énorme, effondrait le terrasson qui la portait, il entendit sa femme soupirer :

— Ça n'en finira jamais !

— Mais, dit-il surpris, je croyais que tu aimais mieux, en somme, le Quart-de-Brie, ses cormorans et ses pétrels...

— Oui... Mais tout de même... Et puis c'est ta maison, ici, ta vraie maison... Notre maison...

Elle s'appuyait à son bras, un peu molle, incertaine exceptionnellement. Le blanc bleuté de ses yeux, presque aussi bleu que sa claire robe d'été, l'arrangement parfait et superflu de sa joue, de sa bouche et de ses paupières, ne le touchèrent pas.

Pourtant il lui sembla qu'elle le consultait sans parler, pour la première fois. « Camille ici avec moi... Déjà ! Camille en pyjama sous les arceaux de roses... » Un des rosiers les plus anciens portait, à hauteur de visage, son fardeau de roses décolorées sitôt qu'épanouies, dont l'odeur orientale régnait, le soir, jusqu'au perron. « Camille en peignoir éponge, sous la

60

charmille d'ormes... » Valait-il pas mieux, à tout prendre, la cantonner encore dans le petit belvédère du Quart-de-Brie ? « Pas ici, pas ici — pas encore... »

Le soir de juin, gorgé de lumière, tardait à pencher du côté de la nuit. Des verres vides, sur un guéridon de paille, retenaient les gros bourdons roux, mais sous les arbres, sauf sous les pins, s'élargissait une zone d'humidité impalpable, une promesse de fraîcheur. Ni les géraniums rosats qui prodiguaient leur méridional parfum, ni les pavots de feu ne souffraient du rude été commençant. « Pas ici, pas ici... », martelait Alain au rythme de son pas. Il cherchait Saha et ne voulait pas l'appeler à pleine voix, il la rencontra couchée sur le petit mur bas qui étayait une butte bleue, couverte de lobélias. Elle dormait ou paraissait dormir, roulée en turban. « En turban ? A cette heure et par ce temps ? C'est une posture d'hiver, le sommeil en turban... »

— Saha chérie !

Elle ne tressaillit pas quand il la prit et l'éleva en l'air, et elle ouvrait des yeux caves, très beaux, presque indifférents.

— Mon Dieu, que tu es légère ! Mais tu es malade, mon petit puma !

Il l'emporta, rejoignit en courant sa mère et Camille.

— Mais, maman, Saha est malade ! Elle a

mauvais poil, elle ne pèse rien, et vous ne me le dites pas !

— C'est qu'elle ne mange guère, dit Mme Amparat. Elle ne veut pas manger.

— Elle ne mange pas, et quoi encore ?

Il berçait la chatte contre sa poitrine et Saha s'abandonnait, le souffle court et les narines sèches. Les yeux de Mme Amparat, sous ses grosses frisures blanches, passèrent intelligemment sur Camille.

— Et puis rien, dit-elle.

— Elle s'ennuie de toi, dit Camille. C'est ta chatte, n'est-ce pas ?

Il crut qu'elle se moquait et releva la tête avec défi. Mais Camille n'avait pas changé de visage et considérait curieusement Saha, qui sous sa main referma les yeux.

— Touche ses oreilles, dit brusquement Alain, elles sont brûlantes.

Il ne réfléchit qu'un instant.

— Bon. Je l'emmène. Maman, faites-moi donner son panier, voulez-vous ? Et un sac de sable pour le plat. Pour le reste, nous avons tout ce qu'il faut. Vous comprenez que je ne veux absolument pas... Cette chatte croit que...

Il s'interrompit et se tourna tardivement vers sa femme.

— Ça ne te gêne pas, Camille, que je

62

prenne Saha en attendant que nous revenions ici ?

— Quelle question !... Mais où comptes-tu l'installer la nuit ? ajouta-t-elle, si naïvement qu'Alain rougit à cause de la présence de sa mère, et qu'il répondit d'un ton sec :

— Elle choisira.

Ils partirent en petit cortège, Alain portant Saha muette dans son panier de voyage. Le vieil Émile pliait sous le sac plein de sable, et Camille fermait la marche, responsable d'un vieux plaid en kasha effrangé qu'Alain appelait le Kashasaha.

— Non, je ne croyais pas qu'un chat s'acclimatait si vite...

— Un chat n'est qu'un chat. Mais Saha est Saha.

Alain faisait, vaniteux, les honneurs de Saha. Lui-même ne l'avait jamais tenue ainsi serrée, prisonnière sur vingt-cinq mètres carrés, visible à toute heure et réduite, pour la méditation féline, sa soif d'ombre et de solitude, à emprunter le dessous des fauteuils géants qui erraient sans port d'attache dans le studio, ou l'antichambre embryonnaire, ou l'un des placards-vestiaires camouflés de miroirs.

Mais Saha voulait triompher de toutes les embûches. Elle se forma aux heures incertaines des repas, du coucher, du lever, choisit pour demeure nocturne la salle de bains et son tabouret éponge, explora le Quart-de-Brie sans affectation de dégoût ni de sauvagerie.

Elle condescendit à écouter, dans la cuisine, l'oiseuse parole de Mᵐᵉ Buque conviant « la mimine » au foie cru. Alain et Camille sortis, elle prenait place sur le vertigineux parapet et sondait les abîmes d'air, suivant d'un œil calme, au-dessous d'elle, les dos volants des hirondelles et des passereaux. Son impassibilité au bord des neuf étages, l'habitude qu'elle prit de se laver longuement sur le parapet affolaient Camille.

— Empêche-la ! criait-elle à Alain. Elle me tourne le cœur et elle me donne des crampes dans les mollets !

Alain souriait avec compétence et admirait sa chatte, reconquise au goût de vivre et de se nourrir.

Ce n'est pas qu'elle devînt florissante, ni très gaie. Elle ne recouvrait pas son poil irisé comme le plumage mauve d'un pigeon. Mais elle vivait mieux, attendait le « poum » sourd de l'ascenseur qui hissait Alain, et acceptait de Camille des prévenances hors de saison, par exemple une soucoupe minuscule de lait à cinq heures, un petit os de poulet offert de haut, comme à un chien qu'on veut faire sauter.

— Pas comme ça !... Comme ça !... gourmandait Alain.

Et il posait l'os sur un tapis de bain, ou

simplement sur la moquette beige à longue laine.

— Qu'est-ce qu'il prend, le tapis de Patrick ! blâmait Camille.

— Mais un chat ne mange pas un os ni une viande consistante sur une surface polie. Quand un chat prend un os dans une assiette et le dépose, avant de le manger, sur le tapis, on lui dit qu'il est sale. Le chat a besoin de maintenir sa proie sous sa patte pendant qu'il broie ou qu'il déchire, et il ne peut le faire que sur la terre nue ou sur un tapis. Mais on l'ignore...

Ébahie, Camille l'interrompit.

— Et toi, comment le sais-tu ?

Il ne se l'était jamais demandé et s'en tira par une plaisanterie :

— Chut ! C'est parce que je suis très intelligent... Ne le répète pas ! M. Veuillet n'en sait rien.

Il lui enseignait les us et les coutumes du félin, comme une langue étrangère riche de trop de subtilités. Malgré lui il mettait, à l'enseigner, de l'emphase.

Camille l'observait étroitement et lui posait vingt questions, auxquelles il répondait sans prudence.

— Pourquoi la chatte joue-t-elle avec une ficelle, si elle a peur du gros cordage qui manœuvre les rideaux ?

— Parce que le cordage, c'est le serpent. C'est le calibre du serpent. Elle a peur des serpents.

— Elle a vu un serpent ?

Alain leva sur sa femme les yeux gris verts, cillés de noir, qu'elle trouvait si beaux, « si traîtres », disait-elle...

— Non... certainement non... Où en aurait-elle vu ?

— Alors ?

— Alors, elle l'invente. Elle le crée. Toi aussi, tu aurais peur du serpent, même si tu ne l'avais jamais vu.

— Oui, mais on me l'a raconté, je l'ai vu en images. Je sais qu'il existe.

— Saha aussi.

— Comment ?

Il la couvrit d'un sourire impérieux.

— Comment ? mais de naissance, comme les personnes de qualité.

— Alors, je ne suis pas une personne de qualité ?

Il s'adoucit, mais seulement par commisération.

— Mon Dieu, non... Console-toi : moi non plus. Tu ne crois pas ce que je te dis ?

Camille, assise aux pieds de son mari, le contempla de ses yeux les plus grands, les yeux de l'ancienne petite fille qui ne voulait pas dire bonjour :

— Il faut bien que je le croie, dit-elle
gravement.

Ils se mirent à dîner presque tous les soirs
chez eux, à cause, disait Alain, de la chaleur,
« et à cause de Saha », insinuait Camille. Un
soir, après le dîner, Saha chevaucha le genou
de son ami.

— Et moi ? dit Camille.

— J'ai deux genoux, repartit Alain.

D'ailleurs, la chatte n'usa pas longtemps de
son privilège. Avertie mystérieusement, elle
regagna la table d'ébène poli, s'y assit sur son
propre reflet bleuâtre immergé dans une eau
ténébreuse et rien, en elle, n'eût paru insolite,
sinon la fixe attention qu'elle donnait aux
invisibles, droit devant elle, dans l'air.

— Qu'est-ce qu'elle regarde ? demanda
Camille.

Elle était jolie tous les soirs à la même
heure, en pyjama blanc, les cheveux à demi
dégommés et mobiles sur son front, les joues
très brunes sous les couches de poudre qu'elle
superposait depuis le matin. Alain gardait
parfois son vêtement d'été, sans gilet, mais
Camille portait sur lui des mains impatientes,
lui retirait son veston, sa cravate, ouvrait son
col, roulait les manches de sa chemise, montrait et cherchait la peau nue, et il la traitait
d'effrontée, mais se laissait faire. Elle riait un
peu douloureusement, en refrénant son envie.

Et c'est lui qui baissait les yeux pour cacher une appréhension qui n'était pas exclusivement voluptueuse : « Quel ravage de désir sur ce visage... Elle en a la bouche tirée. Une jeune femme si jeune... Qui lui a appris à me devancer ainsi ? »

La table ronde, flanquée d'une petite « servante » à roues caoutchoutées, les rassemblait au seuil du studio, près de la baie ouverte. Trois hauts peupliers âgés, épaves d'un beau jardin détruit, balançaient leurs cimes à la hauteur de la terrasse, et le vaste soleil couchant de Paris, rouge sombre, étouffé de vapeurs, descendait derrière leurs têtes maigres d'où la sève se retirait.

Le repas de Mme Buque, qui servait mal et cuisinait bien, égayait l'heure, Alain rafraîchi oubliait sa journée et les bureaux Amparat, et la tutelle de M. Veuillet. Ses deux captives du belvédère le fêtaient. « Tu m'attendais ? » murmurait-il à l'oreille de Saha.

— Je t'ai entendu arriver ! s'écriait Camille. On entend tout d'ici !

— Tu t'ennuyais ? lui demanda-t-il un soir, avec la crainte qu'elle ne se plaignît. Mais elle secoua sa huppe noire en signe de dénégation.

— Pas l'ombre ! Je suis allée chez maman. Elle m'a présenté la perle.

— Quelle perle ?

— La petite bonne femme qui sera ma

70

femme de chambre là-bas. Pourvu que le vieil Émile ne lui fasse pas un gosse ! Elle est bien.

Elle rit, en roulant sur ses bras nus ses larges manches de crêpe blanc, avant d'ouvrir le melon à chair rouge autour duquel tournait Saha. Mais Alain ne rit pas, tout à l'horreur d'imaginer dans sa maison une servante nouvelle...

— Oui ? Figure-toi, avoua-t-il, que ma mère n'a jamais, depuis mon enfance, changé son personnel...

— Ça se voit, trancha Camille... Quel musée !

Elle mordait à même un croissant de melon, et riait face au soleil couchant. Alain admira, sans sympathie particulière, combien pouvaient être vifs, sur le visage de Camille, un certain rayonnement cannibale, l'éclat des yeux, de la bouche étroite, et une sorte de monotonie italienne. Il fit pourtant encore un effort de désintéressement.

— Tu ne revois guère tes amies, il me semble ? Tu pourrais peut-être...

— Et quelles amies ? releva-t-elle impétueuse. C'est pour me faire comprendre que je t'encombre ? Pour que je me donne un peu d'air ? Oui ?

Il haussa les sourcils, claqua la langue « tt... tt... » et elle plia promptement, avec une considération plébéienne pour l'homme dédaigneux.

— C'est vrai, ça... Des amies, je n'en avais guère quand j'étais petite fille. Alors, à présent... Tu me vois avec une jeune fille ? Il faudrait que je la traite en enfant, ou que je réponde à toutes ses sales questions : « Et comment est-ce qu'on fait ci, et comment est-ce qu'il te fait ça... » Les jeunes filles, expliqua-t-elle assez amèrement, les jeunes filles, tu sais, ça ne tient pas honnêtement ensemble... Ça n'a pas de solidarité. Ce n'est pas comme vous autres hommes.

— Pardon ! Je ne suis pas un vous-autres-hommes !

— Oh ! je le sais bien, dit-elle mélancoliquement... Et je me demande quelquefois si je n'aimerais pas mieux...

La mélancolie passait rarement sur elle, et ne lui venait que de la réticence secrète, ou d'un doute qu'elle n'exprimait pas.

— Toi, poursuivait-elle, à part Patrick qui est parti, tu n'as guère d'amis. Et même Patrick, tu t'en fous, au fond...

Elle s'interrompit sur un geste d'Alain.

— Ne parlons pas de ces choses-là, dit-elle intelligemment, ou on va se brouiller.

De longs cris d'enfants montaient de la terre, atteignaient dans l'air le sifflement acéré des hirondelles. Le bel œil jaune de

Saha, envahi peu à peu par la grande pupille nocturne, visait dans l'espace des points mobiles, invisibles et flottants.

— Qu'est-ce qu'elle regarde, la chatte, dis ? Il n'y a pourtant rien, là où elle regarde ?

— Rien, pour nous...

Alain évoquait, regrettait le frisson léger, la peur séduisante que lui versait sa chatte-amie, autrefois, quand elle se couchait la nuit sur sa poitrine...

— Elle ne te fait pas peur, au moins ? dit-il condescendant.

Camille éclata de rire comme si elle n'eût attendu que ce mot insultant.

— Peur ?... Je n'ai pas peur de grand-chose, moi, tu sais !

— C'est un mot de petite sotte, dit Alain agacé.

— Mettons, dit Camille en haussant les épaules. Tu es à l'orage.

Elle désigna la muraille violacée de nuages qui montait en même temps que la nuit.

— Et tu es comme Saha, ajouta-t-elle. Tu n'aimes pas l'orage.

— Personne n'aime l'orage.

— Je ne le déteste pas, dit Camille sur un ton d'amateur. En tout cas, je ne le crains guère.

— Le monde entier craint l'orage, dit Alain, hostile.

— Eh bien, je ne suis pas le monde entier, voilà tout.

— Si, pour moi, dit-il avec une grâce soudaine et artificielle dont elle ne fut pas dupe.

— Oh ! gronda-t-elle tout bas, je te battrais...

Il pencha vers elle, par-dessus la table, ses cheveux blonds, fit briller ses dents.

— Bats-moi !

Mais elle se priva du plaisir de fourrager ces cheveux dorés, d'offrir son bras nu à cette bouche brillante.

— Tu as le nez bossu, lui jeta-t-elle férocement.

— C'est l'orage, dit-il en riant.

Cette finesse ne fut pas du goût de Camille, mais les premiers roulements bas de la foudre détournèrent son attention. Elle jeta sa serviette pour courir à la terrasse.

— Viens ! on va voir monter les beaux éclairs !

— Non, dit Alain sans bouger, viens, toi.

— Où ?

Du menton, il indiquait leur chambre. Sur le visage de Camille se forma l'expression butée, l'obtuse convoitise qu'il connaissait bien, pourtant elle hésita :

— Mais si on regardait les éclairs avant ?

Il fit un signe de refus.

— Pourquoi, méchant ?

— Parce que moi, j'ai peur de l'orage. Choisis. L'orage, ou... moi.

— Oh ! tu penses !...

Elle courut à leur chambre d'un mouvement fougueux qui enorgueillit Alain. Mais en la rejoignant il vit qu'elle avait allumé exprès un pavé de verre lumineux près du vaste lit, et exprès l'éteignit.

Par les baies ouvertes la pluie entra comme ils s'apaisaient, tiède et cinglante, embaumée d'ozone. Aux bras d'Alain, Camille lui faisait comprendre qu'elle eût voulu, pendant que l'orage accourait, que de nouveau il oubliât, avec elle, sa peur de l'orage. Mais il comptait, nerveux, les vastes éclairs en nappes, et les grands arbres éblouissants dressés contre les nuées, et il s'écartait de Camille. Elle se résigna, se haussa sur son coude, et peigna d'une main la chevelure crépitante de son mari. Aux palpitations des éclairs, leurs deux visages de plâtre bleu surgissaient de la nuit et s'y abîmaient.

— Attendons la fin de l'orage, consentit-elle.

« Et voilà ! » se dit Alain. « Voilà ce qu'elle trouve à dire après une rencontre qui en valait, ma foi, la peine. Elle pouvait se taire, tout au moins. Comme dit Émile, la jeune dame se fait comprendre... »

Un éclair à halètements, long comme un songe, se mira en lame de feu dans la tranche épaisse de cristal, sur la coiffeuse invisible ; Camille serra contre Alain sa jambe nue.

— C'est pour me rassurer ? On le sait, que tu n'as pas peur de la foudre.

Il élevait la voix pour dominer le caverneux fracas et les cascades de pluie sur le toit plat. Il se sentait las et irrité, prêt à l'injustice, effrayé de constater qu'il n'était plus jamais seul. Avec violence, il retourna mentalement à son ancienne chambre, tendue d'un papier blanc à fleurs froides, la chambre que nulle main n'avait tenté d'orner ou d'enlaidir. Son souhait fut si affamé que le murmure du vieux calorifère mal réglé suivit l'évocation des bouquets plats et clairs, murmure et haleine de cave sèche, issus d'une bouche à lèvres de cuivre, encastrée dans le parquet. Murmure qui rejoignit celui de la maison tout entière, chuchotement des vieux domestiques poncés par l'usage, inhumés à mi-corps dans leur sous-sol et que le jardin lui-même ne tentait plus... « Ils disaient " elle " en parlant de ma mère, mais depuis mes premières culottes j'étais " Monsieur Alain... " »

Un coup sec de tonnerre le rappela du sommeil bref où il glissait après le plaisir. Penchée sur lui, accoudée, sa jeune femme ne bougeait pas.

— Je t'aime bien quand tu dors, dit-elle. L'orage s'en va.

Il prit ce mot pour une requête et se mit sur son séant.

— Je fais comme lui, dit-il. Quelle moiteur ! Je vais dormir sur le banc de la salle d'attente.

Ils appelaient ainsi l'étroit divan, meuble unique d'une petite pièce bâtarde, couloir à murs de vitres que Patrick destinait à des séances d'héliothérapie.

— Oh ! non, oh ! non, supplia Camille. Reste...

Mais il glissait déjà hors du lit. Les grandes lueurs des nuées révélèrent la dure figure offensée de Camille.

— Pouh ! Petit bonhomme !

Sur ce mot qu'il n'attendait pas, elle lui tira le nez. D'un revers de bras dont il ne fut pas maître, et qu'il ne regretta point, il rabattit la main irrespectueuse. Une trêve soudaine de la pluie et du vent les laissa seuls au milieu du silence, et comme sourds. Camille massait sa main engourdie.

— Mais... dit enfin Camille, mais... tu es une brute...

— C'est possible, dit Alain. Je n'aime pas qu'on me touche la figure. Le reste ne te suffit pas ? Ne me touche jamais la figure.

— Mais oui, répéta lentement Camille, tu es une brute...

— Ne le redis pas trop. A part ça, je ne t'en veux pas. Fais seulement attention.

Il ramena sur le lit sa jambe nue.

— Tu vois ce grand carré gris sur le tapis ? C'est le jour qui se lève. Veux-tu que nous dormions ?

— Oui... je veux bien... dit la même voix incertaine...

— Alors, viens !

Il étendit le bras gauche pour qu'elle y posât sa tête, et elle vint docilement, avec une politesse circonspecte. Content de lui, Alain la bouscula amicalement, l'attira par l'épaule, mais la tint en respect, à tout hasard, en pliant un peu les genoux, et s'endormit vite. Éveillée, Camille respirait sans abandon, et tournait son regard vers la flaque blanchissante du tapis. Elle écouta les passereaux fêter la fin de l'orage, dans les trois peupliers dont le bruissement imitait l'averse. Lorsqu'en changeant de posture Alain lui retira son bras, elle reçut de lui une caresse inconsciente qui, glissant par trois fois sur sa tête, semblait habituée à lisser un pelage encore plus doux que ses doux cheveux noirs.

CE fut vers la fin de juin qu'entre eux l'inconciliabilité s'établit comme une saison nouvelle, avec ses surprises et parfois ses agréments. Alain la respirait comme un printemps âpre, installé en plein été. Sa répugnance à ménager, dans la maison natale, une place pour la jeune femme étrangère, il l'emportait avec lui, la dissimulait sans effort, la brassait et l'entretenait mystérieusement par des soliloques, et par la contemplation sournoise du nouvel appartement conjugal. Un jour de chaleur grise, Camille, excédée, s'écria, au haut de leur passerelle abandonnée du vent :

— Ah ! plaquons tout ! On prend la trottinette, et on va se tremper quelque part ! Dis, Alain ?

— J'en suis, répondit-il avec une promptitude cauteleuse. Où allons-nous ?

Il eut la paix pendant que Camille énumérait des plages et des noms d'hôtels. L'œil sur

Saha prostrée et plate, il prenait le loisir de réfléchir, et de conclure : « Je ne veux pas voyager avec elle. Je... je n'ose pas. Je veux bien me promener comme nous faisons, rentrer le soir, rentrer tard dans la nuit. Mais c'est tout. Je ne veux pas les soirées à l'hôtel, les soirées dans un casino, les soirées... » Il frémit : « Je demande du temps, je reconnais que je suis long à m'habituer, que j'ai un caractère difficile, que... Mais je ne veux pas m'en aller avec elle. » Il eut un mouvement de honte à constater qu'il disait « elle », comme Émile et Adèle lorsqu'ils parlaient à mi-voix de « Madame ».

Camille acheta des cartes routières et ils jouèrent au voyage, à travers une France déployée par quartiers sur la table d'ébène poli, qui reflétait deux visages inverses et délayés.

Ils additionnèrent des kilomètres, décrièrent leur voiture, s'injurièrent cordialement, et se sentirent ravivés, presque réhabilités, par une camaraderie oubliée. Mais de tropicales averses, sans rafales de vent, noyèrent les derniers jours de juin et les terrasses du Quart-de-Brie. Saha, à l'abri des verrières closes, regardait serpenter, sur les mosaïques, des ruisselets plats, que Camille épongeait en piétinant des serviettes. L'horizon, la ville,

80

l'averse adoptaient la couleur des nuages chargés d'une eau intarissable.

— Veux-tu que nous prenions le train ? suggéra Alain d'une voix suave.

Il avait prévu qu'au mot abhorré Camille bondirait. Elle bondit en effet, et blasphéma.

— J'ai peur, ajouta-t-il, que tu ne t'ennuies. Tous ces voyages que nous nous étions promis...

— Tous ces hôtels d'été... Tous ces restaurants à mouches... Toutes ces mers à baigneurs... continua-t-elle, plaintive. Vois-tu, on a bien l'habitude de rouler, nous deux, mais ce qu'on sait faire, au fond, c'est de la route, ce n'est pas du voyage.

Il la vit un peu dolente et l'embrassa en frère. Mais elle se retourna, le mordit à la bouche et sous l'oreille, et ils usèrent, encore une fois, du divertissement qui raccourcit les heures et entraîne les corps à atteindre facilement le plaisir amoureux. Alain s'y fatiguait. Lorsqu'il dînait chez sa mère avec Camille et qu'il retenait des bâillements, Mme Amparat baissait les yeux et Camille ne manquait pas de rire d'un petit rire rengorgé. Car elle notait, orgueuilleuse, l'habitude qu'Alain prenait d'user d'elle, habitude presque hargneuse, rapide corps à corps d'où il la rejetait, haletant, pour gagner le côté frais du lit découvert.

Elle l'y rejoignait ingénument et il ne le lui pardonnait pas, quoique silencieusement il lui cédât de nouveau. A ce prix il pouvait, après, rechercher en paix les sources de ce qu'il nommait leur inconciliabilité. Il avait la sagesse de les situer hors des possessions fréquentes. Lucide, aidé par l'épuisement, il remontait aux retraites où l'inimitié, de l'homme à la femme, se garde fraîche et ne vieillit jamais. Parfois, elle se découvrait à lui dans une région banale, où elle dormait comme une innocente en plein soleil. Par exemple, il s'ébahit, jusqu'au scandale, de comprendre combien Camille était brune. Au lit, couché derrière elle, il épiait les cheveux courts de la nuque tondue, rangés comme des piquants d'oursins, dessinés sur la peau comme des hachures orographiques, les plus courts visibles et bleus sous la peau fine avant que chacun d'eux émergeât par un petit pore noirci.

« N'avais-je jamais eu de brune ? » s'émerveillait-il. « Deux ou trois petites noiraudes ne m'ont pas laissé un souvenir aussi brun ! » Et il tendait à la lumière son propre bras normalement blanc jaune, un bras de blond pailleté de duvet d'or vert, irrigué de veines couleur de jade. Il comparait sa propre chevelure aux sylves à reflets violets, qui sur Camille laissaient apercevoir, entre les crispations d'algues et les tiges parallèles d'une abondance exotique, la blancheur étrange de l'épiderme.

La vue d'un fin cheveu très noir, collé au bord d'une cuvette, lui donna la nausée. Puis la petite névrose changea, et quittant la nuance s'en prit à la forme. Tenant embrassé, apaisé, le jeune corps dont la nuit lui voilait les ombres précises, Alain se mit à blâmer qu'un esprit créateur, aussi rigoureux qu'autrefois celui de sa nurse anglaise — « pas plus de pruneaux que de riz, my garçon, pas plus de riz que de poulet » — eût modelé Camille en suffisance, mais sans rien abandonner à la fantaisie ou à la prodigalité. Il emportait son blâme, et son regret, dans le vestibule de ses songes, pendant l'instant incalculable réservé au paysage noir, animé d'yeux convexes, de poissons à nez grec, de lunes et de mentons. Là il souhaita qu'un fessier dix-neuf cent, librement développé au-dessous d'une taille déliée, compensât la petitesse acide des seins de Camille. D'autres fois il transigeait, à demi endormi, et préférait une gorge encombrante, une mouvante et double monstruosité de chair aux cimes irritables... De telles soifs, qui naissaient de l'étreinte et lui survivaient, n'affrontaient pas la lumière du jour, ni le réveil complet, et ne peuplaient qu'un isthme étroit, entre le cauchemar et le rêve voluptueux.

Échauffée, l'étrangère fleurait le bois mordu par la flamme, le bouleau, la violette, tout un bouquet de douces odeurs sombres et tenaces, qui demeuraient longtemps attachées aux paumes. Ces fragrances exaltaient Alain contradictoirement, et n'engendraient pas toujours le désir.

— Tu es comme l'odeur des roses, dit-il un jour à Camille, tu ôtes l'appétit.

Elle le regarda, indécise, prit l'air un peu gauche et penché dont elle accueillait les louanges ambiguës.

— Comme tu es dix-huit cent trente, murmura-t-elle.

— Moins que toi, répliquait Alain. Mais oui, moins que toi. Je sais à qui tu ressembles.

— A Marie Dubas, on me l'a déjà dit.

— Grande erreur, ma fille ! Tu ressembles, les bandeaux en moins, à toutes celles qui ont pleuré en haut d'une tour, sous Loïsa Puget. Elles pleuraient sur la première page des romances, avec ton grand œil grec, bombé, et ce bord épais de la paupière qui fait sauter la larme sur la joue...

Ses sens, l'un après l'autre, abusaient Alain et condamnaient Camille. Il dut au moins convenir qu'elle savait recevoir de la bonne manière, à bout portant, certaines paroles qui jaillissaient de lui brièvement, paroles moins

84

de gratitude que de provocation, à l'heure où, étendu sur le sol, il la mesurait d'un regard étouffé entre ses cils et appréciait, sans indulgence ni ménagement, les mérites neufs, la flamme un peu monotone mais déjà savamment égoïste d'une si jeune épousée, et ses particulières aptitudes. C'étaient là des moments de lumière franche, de certitude, dont Camille s'attachait à prolonger le demi-silence de pugilat, l'angoisse de corde tendue et d'équilibre périlleux.

Sans malice profonde, elle ne se doutait pas que, dupe à demi des défis intéressés, des pathétiques appels et même d'un frais cynisme polynésien, Alain possédait sa femme chaque fois pour la dernière fois. Il se rendait maître d'elle comme il lui eût mis une main sur la bouche pour l'empêcher de crier, ou comme il l'eût assommée.

Rhabillée, verticale, assise auprès de lui dans leur roadster, il ne retrouvait plus, en la détaillant, ce qui avait fait d'elle la pire ennemie, car en reprenant son souffle, en écoutant décroître les battements de son cœur, il cessait lui-même d'être le dramatique jeune homme qui se mettait nu avant de terrasser sa compagne ; et le bref protocole voluptueux, les soucis gymniques, la gratitude simulée ou réelle, reculaient au rang de ce qui est fini, de ce qui ne reviendra sans doute jamais. Alors renaissait la plus grande préoccupation, qu'il acceptait comme honorable et naturelle, la question qui reprenait, pour l'avoir longuement méritée, sa place, la première place : « Comment empêcher Camille d'habiter MA maison ? »

Passée la période d'hostilité contre « les travaux », il avait mis de bonne foi son espoir dans le retour à la maison natale, dans l'apaisant arrangement d'une existence au ras du sol, qui s'appuie à tout moment à la terre, à ce qu'enfante la terre. « Ici, j'ai le mal des airs. Ah ! soupirait-il, le dessous des branches... le ventre des oiseaux... » Il achevait, sévère : « La pastorale n'est pas une solution. » Et il recourut à l'indispensable allié, le mensonge.

Il vint, par un après-midi de feu pur, qui fondait l'asphalte, à son fief autour duquel Neuilly n'était que voies désertes, tramways vides de juillet, jardins où bâillaient des chiens. Avant de quitter Camille, il avait installé Saha sur la terrasse la plus fraîche du Quart-de-Brie, vaguement inquiet chaque fois qu'il laissait ensemble, seules, ses deux femelles.

Le jardin et la maison dormaient, et la petite porte de fer ne grinça pas. Des roses trop mûres, des pavots rouges, les premiers balisiers à gosiers de rubis, des mufliers sombres brûlaient, par bouquets isolés, sur les pelouses. Au flanc de la maison béaient la porte neuve, et deux autres fenêtres dans un petit bâtiment de rez-de-chaussée, tout frais. « Tout est fini », constata Alain. Il marchait avec précaution, comme dans ses songes, et ne foulait que l'herbe.

Au murmure d'une voix qui montait du sous-sol, il s'arrêta, prêta l'oreille distraitement. Ce n'étaient que les vieilles voix connues, — servilité, bougonnements cultuels, — les vieilles voix qui disaient autrefois « elle » et « Monsieur Alain », et qui flattaient le petit homme blond, la grêle forme virile, son aiguillon enfantin... « J'étais roi », se dit Alain en souriant tristement...

— Alors, c'est bientôt qu'*elle* va coucher ici ? demanda distinctement une des vieilles voix.

« C'est Adèle », se dit Alain. Étayé au mur, il écouta sans scrupule.

— Comme de bien entendu, dit Émile en chevrotant. Cet appartement, c'est bien mal combiné.

La femme de chambre, une Basquaise grisonnante, barbue, intervint :

— Je vous crois. De leur salle de bains, on entend tout ce qui se passe dans les water. M. Alain n'en sera pas charmé.

— *Elle* a dit, la dernière fois qu'*elle* est venue, qu'*elle* n'avait pas besoin de rideaux dans son petit salon, puisqu'il n'y a pas de voisins sur le jardin.

— Pas de voisins ? Alors, et nous, si on va à la buanderie ? Qu'est-ce qu'on verra quand *elle* sera avec M. Alain ?

Alain devina des rires très bas, et l'antique Émile reprit :

— Oh ! on n'en verra peut-être pas tant que ça... *Elle* se fera remiser plus souvent qu'à son tour... M. Alain n'est pas quelqu'un à se laisser aller comme ça sur les divans à toute heure de jour et de nuit...

Pendant un silence, Alain n'entendit que le bruit d'une lame sur la pierre à couteaux, mais il resta aux écoutes contre la muraille chaude, cherchant vaguement des yeux, entre un géranium embrasé et le vert mordant du gazon, le pelage pierre de lune de Saha...

— Moi, dit Adèle, je trouve ça entêtant, le parfum qu'*elle* se met.

— Et ses robes, renchérit Juliette la Basquaise, sa manière de s'habiller, ça ne fait pas grande couture. *Elle* ferait plutôt genre artiste, à cause du culot. Et qu'est-ce qu'*elle* va nous amener, il paraîtrait, comme femme de chambre, une personne d'orphelinat, je pense, ou pire...

Un vasistas bascula et les voix s'éteignirent. Alain se sentait lâche et un peu tremblant, et respirait comme un homme épargné par des meurtriers. Il n'était pas surpris, ni indigné. Entre sa manière à lui de juger Camille et la rigueur des juges du sous-sol, la différence n'était pas grande. Mais le cœur lui battait d'écouter bassement, de n'en être point puni, et de recueillir des témoignages de partisans, de complices sans pacte. Il essuya son visage, aspira l'air profondément comme si cette bouffée de mysogynie unanime, ce païen encens dédié au seul principe mâle l'eût étourdi. Sa mère, qui, s'éveillant de sa sieste, rabattait les persiennes de sa chambre, le vit debout, la joue encore appuyée au mur. Elle cria sans bruit, en mère sage.

— Ha ! mon garçon... Tu n'as pas de mal ?

Il lui prit les mains par-dessus l'appui de la fenêtre, comme un amoureux.

— Aucun, maman... Je suis venu en me promenant.

— C'est une bonne idée.

Elle n'en croyait rien, mais ils se souriaient en mentant l'un comme l'autre.

— Est-ce que je peux vous demander un petit service, maman ?

— Un petit service d'argent, je parie ? Vous n'êtes pas trop bien fournis cette année, mes pauvres enfants, c'est vrai...

— Non, maman... S'il vous plaît, je voudrais que vous ne disiez pas à Camille que je suis venu aujourd'hui. Comme je suis venu sans motif, je veux dire sans autre motif que de vous embrasser, j'aime mieux... Ce n'est pas tout. Je voudrais que vous me donniez un conseil. Entre nous, n'est-ce pas ?

Mme Amparat baissa les yeux, fourragea sa chevelure blanche frisée, essaya d'écarter la confidence.

— Je ne suis pas bavarde, tu sais... Tu me surprends toute dépeignée, j'ai l'air d'une vieille roulottière... Tu ne veux pas entrer au frais ?

— Non, maman... Pensez-vous qu'il y ait un moyen — c'est une idée qui me suit, — un moyen gentil, naturellement — qui soit agréable à tout le monde, — un moyen d'empêcher Camille d'habiter ici ?

Il serrait les mains de sa mère, attendait leur tressaillement ou leur dérobade. Mais elles restaient froides et douces entre les siennes.

— Ce sont des idées de jeune marié, dit-elle gênée.

— Comment ?

— Oui. Entre les jeunes mariés ça va trop bien, ou ça va trop mal. Et je ne sais pas lequel vaut le mieux. Mais ça ne va jamais tout seul.

— Mais, maman, ce n'est pas ça que je vous demande, je vous demande s'il n'y a pas un moyen...

90

Pour la première fois, il perdait contenance devant sa mère. Elle ne l'aidait pas et il détourna le front avec humeur.

— Tu parles comme un enfant. Par cette chaleur tu cours les rues, et tu t'en viens après une dispute me poser des questions... je ne sais pas, moi... Des questions qui n'ont une réponse que dans le divorce... Ou dans le déménagement, ou Dieu sait dans quoi...

Elle s'essoufflait dès qu'elle parlait, et Alain ne se reprocha que de la voir rouge, hors d'haleine pour peu de mots. « Assez pour aujourd'hui », jugea-t-il prudemment.

— Nous ne nous sommes pas disputés, maman. C'est seulement moi qui ne m'habitue pas à l'idée... qui ne voudrais pas voir...

Il désigna, d'un grand geste embarrassé, le jardin qui les entourait, l'étang vert de la pelouse, le lit de pétales sous les rosiers en arceaux, un brouillard d'abeilles au-dessus du lierre fleuri, la maison laide et révérée...

La main qu'il avait gardée dans l'une des siennes se ferma, se durcit en petit poing, et il baisa brusquement cette main sensible : « Assez, assez pour aujourd'hui... »

— Je m'en vais, maman. M. Veuillet vous téléphone demain à huit heures pour cette histoire de baisse des actions... J'ai meilleure mine, maman ?

Il levait ses yeux verdis par l'ombre du

tulipier, renversait son visage qu'il contraignait par habitude, par tendresse et par diplomatie, à l'ancienne expression enfantine. Un clin de paupières pour embellir l'œil, un sourire de séduction, une moue des lèvres... La main maternelle se rouvrit, passa par-dessus l'appui de la fenêtre, atteignit et palpa, sur Alain, des points faibles et connus, — l'omoplate, la pomme d'Adam, le haut du bras, — et la réponse ne vint qu'après le geste :

— Un peu meilleure... Oui, plutôt un peu meilleure mine...

« Je lui ai fait plaisir, en la priant de cacher quelque chose à Camille... » Au souvenir de la dernière caresse maternelle, il serra sa ceinture sous son veston. « J'ai maigri, je maigris. Plus de culture physique — plus d'autre culture physique que l'amour... »

Il allait léger, vêtu pour la maison, et la brise fraîchissante le séchait, chassant devant lui le parfum amer de sa sueur blonde, parent du noir cyprès. Il laissait son bastion natal inviolé, sa souterraine cohorte alliée intacte, et le reste de la journée coulerait facile. Jusqu'à minuit sans doute, assis au flanc de Camille inoffensive, il boirait en voiture l'air du soir, tantôt sylvestre entre les chênaies bordées de fossés vaseux, tantôt sec et sentant l'aire à blé... « Et je rapporterai du chiendent d'origine pour Saha ! »

Il se reprocha avec véhémence le sort de sa chatte, qui vivait à si petit bruit en haut du belvédère. « Elle est comme sa propre chrysalide, et par ma faute... » A l'heure des jeux conjugaux, elle se bannissait si strictement qu'Alain ne l'avait jamais vue dans la chambre triangulaire.

Elle mangeait juste assez, perdait son langage varié, ses exigences et préférait à tout sa longue attente. « De nouveau, elle attend derrière des barreaux... Elle m'attend. »

La voix éclatante de Camille, comme il atteignait le palier, franchit la porte fermée :

— C'est cette sacrée cochonnerie de bête ! Et qu'elle crève, bon Dieu ! Quoi ?... Non, madame Buque, quand vous direz... Je m'en fous ! Je m'en fous !

Il distingua encore quelques mots injurieux. Très doucement il tourna la clef dans la serrure, mais ne put consentir, passé son propre seuil, à écouter sans être vu. « Une sacrée cochonnerie de bête ? Mais quelle bête ? Une bête dans la maison ? »

Dans le studio, Camille, en petit pull-over sans manches, un béret de tricot accroché miraculeusement sur l'occiput, chaussait avec rage ses mains nues de gants à entonnoirs, et elle parut stupéfaite à la vue de son mari.

— C'est toi !... D'où sors-tu ?

— Je ne sors pas, je rentre. Toi, à qui en as-tu ?

Elle tourna l'obstacle, attaqua Alain par une volte habile.

— Te voilà bien tranchant, pour une fois que tu es à l'heure. Je suis prête, moi, je t'attends !

— Tu ne m'attends pas, puisque je suis à l'heure. A qui en avais-tu ? J'ai entendu : sacrée cochonnerie de bête... Quelle bête ?

Elle loucha très légèrement, mais soutint le regard d'Alain.

— Le chien, cria-t-elle. Le damné chien d'en bas, le chien du matin et du soir ! Ça le reprend ! Tu ne l'entends pas aboyer ? Écoute !

Le doigt levé elle commandait l'attention, et Alain eut le temps de s'apercevoir que le doigt ganté tremblait. Il céda à un naïf besoin de certitude.

— J'ai cru que c'était de Saha que tu parlais, figure-toi...

— Moi ? s'écria Camille. Parler de Saha sur ce ton-là ? Je ne m'y frotterais pas. Qu'est-ce qui me tomberait ! Tu viens, enfin, tu viens ?

— Sors la voiture, je te rejoins en bas. Je me cherche un mouchoir et un pull-over...

Il s'enquit d'abord de la chatte, et ne vit sur la terrasse la plus fraîche, près du fauteuil de toile où Camille dormait parfois l'après-midi, que des éclats de verre brisés, qu'il interrogea d'un œil stupide.

— La chatte est avec moi, Monsieur, dit la voix flûtée de Mme Buque. Elle aime bien mon tabouret de paille. Elle fait ses griffes dessus.

« Dans la cuisine ! » songea douloureusement Alain. « Mon petit puma, ma chatte des jardins, ma chatte des lilas et des hannetons, dans la cuisine !... Ah ! tout ça va changer ! »

Il embrassa Saha sur le front, lui chanta tout bas quelques versets rituels et lui promit le chiendent et les fleurs d'acacia sucrées. Mais il trouva que la chatte et Mme Buque manquaient de naturel, Mme Buque surtout.

— Nous rentrons dîner, ou bien nous ne rentrons pas, madame Buque. La chatte a tout ce qu'il lui faut ?

— Oui, Monsieur, oui, oui, Monsieur, dit Mme Buque avec précipitation. Je fais bien tout ce que je peux, j'assure à Monsieur...

La grosse femme était rouge et semblait près des larmes ; elle passa sur le dos de la chatte une main amicale et maladroite. Saha bomba le dos et proféra un petit « m'hain », une parole de chat pauvre et timide, qui gonfla de tristesse le cœur de son ami.

La promenade fut plus douce qu'il ne

l'espérait. Assise au volant, l'œil agile, le pied et la main d'accord, Camille le mena jusqu'au coteau de Montfort-l'Amaury.

— On dîne dehors, Alain ?... Mon chéri ?

Elle lui souriait de profil, belle comme toujours au crépuscule, la joue brune et transparente, le coin de l'œil et les dents du même blanc étincelant. Dans la forêt de Rambouillet elle abattit le pare-brise et le vent emplit les oreilles d'Alain d'un bruit de feuillages et d'eau courante.

— Un petit lapin !... criait Camille. Un faisan !

— Encore un lapin ! Un peu plus...

— Il ne connaît pas sa veine, celui-là !

— Tu as une fossette dans la joue comme sur tes photographies d'enfant, dit Alain qui s'animait.

— Ne m'en parle pas, je deviens énorme ! dit-elle en secouant les épaules.

Il guetta le retour du rire et de la fossette, et son attention descendit jusqu'au cou robuste, net de tout collier de Vénus, un cou inflexible et rond de belle négresse blanche. « Mais oui, elle a engraissé. De la plus séduisante façon, d'ailleurs, car ses seins, eux aussi... » Il fit un retour sur lui-même, et buta, morose, contre l'antique grief viril : « Elle, elle s'engraisse à faire l'amour... Elle engraisse de moi. » Il glissa une main jalouse sous son veston, tâta ses côtes, et cessa d'admirer la fossette et la joue enfantines.

Mais il eut un mouvement vaniteux en s'asseyant, un peu plus tard, à la table d'une auberge renommée, lorsque les dîneurs voisins se retinrent de parler et de manger pour regarder Camille. Et il échangea avec sa femme le sourire, le mouvement de menton, le manège de coquetterie qui convenait au « joli couple ».

Ce fut pour lui seul d'ailleurs que Camille atténua le son de sa voix, montra un peu de langueur et des prévenances qui n'étaient point de parade. En revanche, Alain lui ôta des mains le ravier de tomates crues et le panier de fraises, insista pour qu'elle prît du poulet à la crème, et il lui versait un vin qu'elle n'aimait pas beaucoup, mais qu'elle buvait vite.

— Tu sais bien que je n'aime pas le vin, répétait-elle chaque fois qu'elle vidait son verre.

Le soleil couché n'emportait pas la lumière du ciel presque blanc, à petites nues pommelées d'un rose sombre. Mais de la forêt, debout et massive derrière les tables de l'auberge, semblaient sortir ensemble la nuit et la fraîcheur. Camille posa sa main sur celle d'Alain.

— Quoi ? quoi ? Qu'est-ce qu'il y a ? dit-il effrayé.

Elle retira sa main, étonnée. Le peu de vin qu'elle avait bu riait, humide, dans ses yeux où brillait l'image toute petite et oscillante des ballons roses suspendus à la pergola.

— Mais rien, voyons ! Nerveux comme un chat... C'est défendu, de mettre ma main sur la tienne ?

— J'ai cru, avoua-t-il lâchement, j'ai cru que tu voulais me dire quelque chose... de grave... J'ai cru, dit-il d'un trait, que tu allais me dire que tu étais enceinte...

Le petit rire aigu de Camille attira sur elle l'attention des hommes attablés.

— Et ça t'a bouleversé à ce point-là ?... De joie ou... d'embêtement ?

— Je ne sais pas au juste... Et toi, qu'est-ce que ça te ferait ? Contente ou pas contente ? Nous y avons si peu pensé... moi du moins... Mais pourquoi ris-tu ?

— C'est ta figure... Tout d'un coup une figure de condamné... C'est trop drôle. Tu vas me faire dégommer mes cils...

Elle soulevait, sur ses deux index, les cils de ses deux paupières.

— Ce n'est pas drôle, c'est grave, dit Alain, heureux de donner le change. « Mais pourquoi ai-je eu si peur ? » pensait-il.

— Ce n'est grave, dit Camille, que pour les

gens qui n'ont pas de logement, ou qui n'ont que deux pièces. Mais nous...

Sereine, équilibrée dans l'optimisme par le vin traître, elle fumait et parlait comme si elle eût été seule, le flanc à la table et les jambes croisées.

— Baisse ta jupe, Camille.

Elle ne l'entendit pas, et poursuivit :

— Nous, on a l'essentiel pour un enfant ; un jardin, et quel !... Et une chambre rêvée, avec sa salle de bains.

— Une chambre ?

— Ton ancienne chambre, qu'on repeint, — par exemple tu seras bien gentil de ne pas y exiger une frise de petits canards et de sapins des Vosges sur fond ciel... Ça fausserait le goût de notre descendance...

Il se garda de l'arrêter. Les joues échauffées, elle parlait avec nonchalance, contemplant au loin ce qu'elle construisait. Il ne l'avait jamais vue aussi belle. La base de son cou, fût sans plis, faisceau de muscles enveloppés, le retenait et aussi les narines qui soufflaient la fumée... « Quand je lui fais plaisir et qu'elle serre la bouche, elle respire en ouvrant les narines comme un petit cheval... »

Il entendit tomber, des lèvres rougies et dédaigneuses, des prédictions si folles qu'elles cessèrent de l'épouvanter : Camille avançait tranquillement dans sa vie de femme, parmi les décombres du passé d'Alain. « Mâtin », jugea-t-il, « comme c'est organisé... J'en apprends ! » Un tennis remplacerait plus tard la grande pelouse inutile... La cuisine et l'office...

— Tu ne t'es jamais rendu compte de leur incommodité, et de la place perdue ? C'est comme le garage... Tout ce que j'en dis, mon chéri, c'est pour que tu saches que je pense beaucoup à notre installation véritable... Avant tout, nous devons ménager ta mère qui est d'une telle gentillesse et ne jamais nous passer de son approbation... N'est-ce pas ?

Il faisait signe que oui, il faisait signe que non, au petit bonheur, en ramassant des fraises des bois égaillées sur la nappe. Un repos provisoire, un avant-goût d'indifférence, à partir de « ton ancienne chambre », l'avaient immunisé.

— Une seule chose peut nous presser, continua Camille, la dernière carte postale de Patrick est datée des Baléares, attention... Il faut moins de temps à Patrick pour venir des Baléares, s'il n'y traîne pas sur les plages, qu'à notre décorateur pour tout finir — qu'il crève tout violet, cet enfant de Pénélope couverte par une tortue mâle ! Mais je prendrais ma voix de sirène : « Mon petit Patrick... » Et tu sais qu'elle lui fait beaucoup d'impression, ma voix de sirène, à Patrick...

100

— Des Baléares... interrompit Alain songeur. Des Baléares...

— La porte à côté, autant dire... Où vas-tu ? Tu veux qu'on s'en aille ? On était si bien...

Debout, dégrisée, elle bâillait de sommeil et frissonnait.

— Je prends le volant, dit Alain. Mets le vieux manteau qui est sous le coussin. Et dors.

Une mitraille d'éphémères, des papillons de vif-argent, des lucanes durs comme des cailloux accouraient au-devant des phares, et l'automobile refoulait, comme une onde, l'air encombré d'ailes. Camille s'endormit en effet, toute droite, entraînée à ne point charger, même endormie, l'épaule et le bras du conducteur. Elle saluait seulement, à petits coups de tête, les cassis de la route.

« Des Baléares... », se répétait Alain. A la faveur de l'air noir, des feux blancs qui captaient, repoussaient, décimaient les créatures volantes, il réintégrait le vestibule surpeuplé de ses songes, le firmament à poussières de visages éclatés, de gros yeux ennemis qui remettaient au lendemain une reddition, un mot de passe, un chiffre. Si bien qu'il omit de couper au plus court entre Pontchartrain et l'octroi de Versailles, et Camille grogna dans son sommeil. « Bravo ! » applaudit Alain.

« Bon réflexe. Bons petits sens fidèles et vigilants... Ah ! comme je te trouve aimable, comme notre accord est facile quand tu dors et que je veille... »

La rosée mouillait leurs cheveux nus, leurs manches, quand ils mirent pied à terre dans leur rue neuve, déserte sous le clair de lune. Alain leva la tête : au centre de la lune presque ronde, en haut des neuf étages, une petite ombre cornue de chat, penchée, attendait. Il la montra à Camille :

— Regarde ! Comme elle t'attend !

— Tu as de bons yeux, dit Camille bâillant.

— Si elle tombait ! Ne l'appelle pas, surtout !

— Tu peux être tranquille, dit Camille. Si je l'appelais, elle ne viendrait pas.

— Pour cause, ricana Alain.

Dès qu'il eut laissé échapper ces deux mots il se les reprocha. « Trop tôt, trop tôt. Et quelle heure mal choisie ! » La main que Camille tendait vers le bouton de sonnerie ne toucha pas son but.

— Pour cause ? Pour quelle cause ? Allons, vas-y. J'ai encore manqué de respect à l'animal-tabou ? La chatte s'est plainte de moi ?

« Je suis bien avancé », pensait Alain en fermant le garage. Il retraversa la rue, rejoignit sa femme qui l'attendait en posture de bataille. « Ou je mets les pouces en l'échange d'une nuit tranquille — ou j'éteins, d'une bonne bourrade, le débat, — ou... C'est trop tôt. »

— Eh bien, je te parle !

— Montons d'abord, dit Alain.

Ils se turent dans l'ascenseur exigu, serrés l'un contre l'autre. Dès le studio, Camille jeta loin d'elle son béret et ses gants, comme pour marquer qu'elle n'abandonnait pas la querelle. Alain s'occupait de Saha, l'invitait à quitter son poste périlleux. Patiente, empressée à ne pas lui déplaire, la chatte le suivit dans la salle de bains.

— Si c'est à cause de ce que tu as entendu avant le dîner, quand tu es rentré... commença Camille sur le mode aigu, dès qu'il reparut...

Alain avait pris son parti et l'interrompit d'un air las :

— Mon petit, qu'est-ce que nous allons nous dire ? Rien que nous ne sachions. Que tu n'aimes guère la chatte, que tu as engueulé la mère Buque parce que la chatte a cassé un vase, — ou un verre, j'ai vu les morceaux ? Je te répondrai que je tiens à Saha, que ta jalousie serait la même à peu près si j'avais gardé une chaude affection pour un ami d'enfance... Et la nuit y passerait. Merci bien. J'aime mieux dormir. Tiens, la prochaine fois,

103

je te conseille de prendre les devants et d'avoir un petit chien.

Saisie, embarrassée de sa colère sans emploi, Camille le regardait, les sourcils hauts.

— La prochaine fois ? Quelle prochaine fois ? Qu'est-ce que tu veux dire ? Quels devants ?

Comme Alain haussait les épaules, elle devint rouge et dans son visage redevenu très jeune, l'extrême éclat de ses yeux présagea des larmes : « Ah ! je m'ennuie... », gémit Alain en lui-même. « Elle va avouer. Elle va me donner raison. Je m'ennuie... »

— Écoute, Alain.

Avec effort, il feignit la violence, imita l'autorité.

— Non, mon petit. Non et non. Tu n'obtiendras pas de moi que je termine cette soirée, qui a été charmante, par une discussion stérile ! Non, tu ne changeras pas en drame un enfantillage, pas plus que tu ne m'empêcheras d'aimer les animaux !

Une sorte de gaieté amère passa dans les yeux de Camille, mais elle ne parla pas. « J'ai peut-être été un peu fort. Enfantillage était de trop. Et pour ce qui est d'aimer les animaux, qu'en sais-je ?... » Une petite forme d'un bleu d'ombre, cernée, comme un nuage, d'un ourlet d'argent, assise au bord vertigineux de la nuit, occupa sa pensée et l'écarta du lieu sans âme où pied à pied il défendait sa chance d'isolement, son égoïsme, sa poésie...

— Allons, ma petite ennemie, dit-il avec une grâce déloyale, allons nous reposer.

Elle ouvrit la porte de la salle de bains où Saha, installée pour la nuit sur le tabouret éponge, ne parut lui accorder qu'un minimum d'attention.

— Mais pourquoi, mais pourquoi... Pourquoi m'as-tu dit : la prochaine fois...

Le bruit de l'eau couvrait et coupait la voix de Camille, à qui Alain ne répondait plus. Lorsqu'il la rejoignit dans le vaste lit, il lui souhaita une bonne nuit, l'embrassa au hasard sur son nez sans poudre, tandis que la bouche de Camille lui baisait le menton avec un petit bruit avide.

Éveillé tôt, il s'en alla doucement se recoucher sur le banc de la salle d'attente, l'étroit divan serré entre deux parois de vitres.

C'est là qu'il vint, les nuits suivantes, achever son repos. Il fermait de part et d'autre les rideaux opaques d'étoffe cirée, presque neufs et déjà à demi détruits par le soleil. Il respirait sur son corps l'arôme même de sa solitude, l'âpre parfum félin de la bugrane et du buis fleuri. Un bras étendu, l'autre plié sur sa poitrine, il reprenait l'attitude molle et souveraine de ses sommeils d'enfant. Suspendu au faîte étroit de la maison triangulaire, il favorisait de toutes ses forces le retour des songes anciens, que la fatigue amoureuse avait désagrégés.

Il s'échappait plus aisément que Camille ne l'eût voulu, contraint qu'il était de fuir sur place, par rétraction pure, depuis que l'évasion ne signifiait plus un escalier descendu à pas légers, le claquement d'une portière de taxi, une lettre brève... Aucune maîtresse ne lui avait donné de prévoir Camille et sa facilité de jeune fille, Camille et son appétit sans calcul, mais aussi Camille et son point d'honneur de partenaire offensé.

Évadé, recouché sur le banc de la salle d'attente, et cherchant de la nuque un petit coussin boudiné qu'il préférait à tous, Alain tendait une oreille inquiète vers la chambre qu'il venait de quitter. Mais jamais Camille ne rouvrit la porte. Seule, elle ramenait sur elle le drap froissé et la couverture de soie ouatée, mordait de dépit et de regret son index plié, et abaissait d'une tape sèche la longue paupière de métal chromé qui projetait, en travers du lit, un pont étroit de lumière blanche. Alain ne sut jamais si elle avait dormi dans le lit vide où elle apprenait, si jeune, qu'une nuit solitaire impose un réveil armé, puisqu'elle reparaissait fraîche, un peu parée, délaissant le peignoir éponge et le pyjama de la veille. Mais elle ne pouvait pas comprendre que l'humeur sensuelle de l'homme est une saison brève, dont le retour incertain n'est jamais un recommencement.

Couché, seul, baigné d'air nocturne, mesurant le silence et la hauteur de sa cime par les cris affaiblis des bateaux sur la Seine proche, l'infidèle retardait son sommeil jusqu'à l'apparition de Saha. Elle venait à lui, ombre plus bleue que l'ombre, sur le bord de la verrière ouverte. Elle y restait aux aguets et ne descendait pas sur la poitrine d'Alain, encore qu'il l'en priât par des paroles qu'elle reconnaissait.

— Viens, mon petit puma, viens... Ma chatte des cimes, ma chatte des lilas, Saha, Saha...

Elle résistait, assise au-dessus de lui sur le rebord de la fenêtre. Il ne distinguait d'elle que sa forme de chatte sur le ciel, son menton penché, ses oreilles passionnément orientées vers lui, et jamais il ne put surprendre l'expression de son regard.

Parfois l'aube sèche, l'aube d'avant le lever du vent, les vit assis sur la terrasse de l'Est, contemplant joue à joue le pâlissement du ciel et l'essor des pigeons blancs quittant, un à un, le beau cèdre de la Folie-Saint-James. Ensemble ils s'étonnaient d'être si loin au-dessus de la terre, si seuls, et si peu heureux. D'un mouvement ardent et onduleux de chasseresse, Saha suivait le vol des pigeons, et exhalait quelques « ...ek... ek... », écho affaibli des « mouek... mouek... » d'excitation, de convoitise et de jeu violent.

— Notre chambre, lui disait Alain dans l'oreille. Notre jardin, notre maison...

Elle maigrissait de nouveau, et Alain la trouvait légère et ravissante. Mais il souffrait de la voir si douce, et patiente comme tous ceux que lasse et soutient une promesse.

Le sommeil reprenait Alain à mesure que le jour, éclos, raccourcissait les ombres. Découronné d'abord et élargi par la brume de Paris, puis rapetissé, allégé et déjà brûlant, le soleil montait, allumant un crépitement de passereaux dans les jardins. La lumière accrue révélait sur les terrasses, au bord des balcons, dans les courettes où languissaient des arbustes captifs, le désordre d'une nuit chaude, un vêtement oublié sur une chaise longue en rotin, des verres vides sur un guéridon de tôle, une paire de sandales. Alain haïssait cette impudeur des petits logis opprimés par l'été, et il regagnait son lit d'un bond, par un panneau béant de la verrière. En bas de la maison à neuf étages, dans un petit jardin de légumes grêles, un jardinier levait la tête pour voir ce jeune homme blanc qui perçait, d'un saut de cambrioleur, la paroi translucide.

Saha ne le suivait pas. Tantôt elle penchait une oreille vers la chambre triangulaire, tantôt elle notait sans passion l'éveil d'un monde lointain, à ras de terre. D'une maisonnette caduque un chien délivré s'élançait, muet, tournait autour du jardinet et ne recouvrait la voix qu'après son temps de course sans but. Des femmes paraissaient aux fenêtres, une servante furieuse claquait les portes, secouait des coussins orange sur un toit plat à l'italienne, — des hommes, éveillés à regret, allumaient l'amère première cigarette... Enfin, dans la cuisine sans feu du Quart-de-Brie s'entrechoquaient la cafetière automatique à sifflet et la théière électrique ; — par le hublot de la salle de bains s'envolaient le parfum et le bâillement rugi de Camille... Saha, résignée, repliait ses pattes sous son ventre et feignait le sommeil.

Un soir de juillet qu'elles attendaient toutes deux le retour d'Alain, Camille et la chatte se reposèrent au même parapet, la chatte couchée sur ses coudes, Camille appuyée sur ses bras croisés. Camille n'aimait pas ce balcon-terrasse réservé à la chatte, limité par deux cloisons de maçonnerie, qui le gardaient du vent et de toute communication avec la terrasse de proue.

Elles échangèrent un coup d'œil de pure investigation, et Camille n'adressa pas la parole à Saha. Accoudée, elle se pencha comme pour compter les étages de stores orange largués du haut en bas de la vertigineuse façade, et frôla la chatte qui se leva pour lui faire place, s'étira, et se recoucha un peu plus loin.

Dès que Camille était seule, elle ressemblait beaucoup à la petite fille qui ne voulait pas dire bonjour, et son visage retournait à l'enfance par l'expression de naïveté inhumaine, d'angélique dureté qui ennoblit les visages enfantins. Elle promenait sur Paris, sur le ciel d'où chaque jour la lumière se retirait plus tôt, un regard impartialement sévère, qui peut-être ne blâmait rien. Elle bâilla nerveusement, se redressa et fit quelques pas distraits, se pencha de nouveau, en obligeant la chatte à sauter à terre. Saha s'éloigna avec dignité et préféra rentrer dans la chambre. Mais la porte de l'hypoténuse avait été refermée, et Saha s'assit patiemment. Un instant après elle devait céder le passage à Camille, qui se mit en marche d'une cloison à l'autre, à pas brusques et longs, et la chatte sauta sur le parapet. Comme par jeu, Camille la délogea en s'accoudant, et Saha, de nouveau, se gara contre la porte fermée.

L'œil au loin, immobile, Camille lui tournait le dos. Pourtant la chatte regardait le dos de Camille, et son souffle s'accélérait. Elle se leva, tourna deux ou trois fois sur elle-même, interrogea la porte close... Camille n'avait pas bougé. Saha gonfla ses narines, montra une angoisse qui ressemblait à la nausée, un miaulement long, désolé, réponse misérable à un dessein imminent et muet, lui échappa, et Camille fit volte-face.

Elle était un peu pâle, c'est-à-dire que son fard évident dessinait sur ses joues deux lunes ovales. Elle affectait l'air distrait, comme elle l'eût fait sous un regard humain. Même elle commença un chantonnement à bouche fermée, et reprit sa promenade de l'une à l'autre cloison, sur le rythme de son chant, mais la voix lui manqua. Elle contraignit la chatte, que son pied allait meurtrir, à regagner d'un saut son étroit observatoire, puis à se coller contre la porte.

Saha s'était reprise, et fût morte plutôt que de jeter un second cri. Traquant la chatte sans paraître la voir, Camille alla, vint, dans un complet silence. Saha ne sautait sur le parapet que lorsque les pieds de Camille arrivaient sur elle, et elle ne retrouvait le sol du balcon que pour éviter le bras tendu qui l'eût précipitée du haut des neuf étages.

Elle fuyait avec méthode, bondissait soigneusement, tenait ses yeux fixés sur l'adversaire, et ne condescendait ni à la fureur, ni à la supplication. L'émotion extrême, la crainte de mourir, mouillèrent de sueur la sensible plante de ses pattes, qui marquèrent des empreintes de fleurs sur le balcon stuqué.

Camille sembla faiblir la première, et disperser sa force criminelle. Elle commit la faute de remarquer que le soleil s'éteignait, donna un coup d'œil à son bracelet-montre, prêta l'oreille à un tintement de cristaux dans l'appartement. Quelques instants encore et sa

113

résolution, en l'abandonnant comme le sommeil quitte le somnambule, la laisserait innocente et épuisée... Saha sentit chanceler la fermeté de son ennemie, hésita sur le parapet, et Camille, tendant les deux bras, la poussa dans le vide.

Elle eut le temps d'entendre le crissement des griffes sur le torchis, de voir le corps bleu de Saha tordu en S, agrippé à l'air avec une force ascendante de truite, puis elle recula et s'accota au mur.

Elle ne montra aucune tentation de regarder en bas, dans le petit potager cerné de moellons neufs. Rentrée dans la chambre, elle posa ses mains sur ses oreilles, les retira, secoua la tête comme si elle entendait un chant de moustique, s'assit et faillit s'endormir ; mais la nuit tombante la remit debout et elle chassa le crépuscule en allumant pavés de verre, rainures lumineuses, champignons aveuglants et aussi la longue paupière chromée qui versait un regard opalin en travers du lit.

Elle se déplaçait élastiquement, maniait les objets avec des mains légères, adroites, rêveuses.

— Je suis comme si j'avais maigri..., dit-elle à haute voix.

Elle changea ses vêtements, s'habilla de blanc.

— Ma mouche dans du lait, dit-elle en imitant la voix d'Alain. Ses joues se recolorèrent au passage d'un souvenir sensuel qui la rendit à la réalité, et elle attendit l'arrivée d'Alain.

Elle penchait la tête vers l'ascenseur bourdonnant, tressaillait à tous les bruits — chocs sourds de tremplin, gifles métalliques, grincements de bateau à l'ancre, musiques jugulées — qu'exhale la vie discordante d'une maison neuve. Mais elle n'eut pas l'air étonnée que le grelottement caverneux du timbre remplaçât, dans l'antichambre, le tâtonnement d'une clef dans la serrure. Elle courut, et ouvrit elle-même.

— Ferme la porte, commanda Alain. Que je voie avant tout si elle n'est pas blessée. Viens, tu me donneras de la lumière.

Il portait Saha vivante dans ses bras. Il alla droit à la chambre, poussa de côté les bibelots de la coiffeuse invisible, déposa doucement la chatte sur la planche de verre. Elle se tint debout et d'aplomb sur ses pattes, mais promena autour d'elle le regard de ses yeux profondément enchâssés, comme elle eût fait dans un logis étranger.

— Saha !... appela Alain à mi-voix. Si elle n'a rien, ce sera un miracle... Saha !

Elle leva la tête, comme pour rassurer son ami, et appuya sa joue contre sa main.

— Marche un peu, Saha... Elle marche !
Ah ! là là... Six étages de chute... C'est le
store du type du deuxième qui a amorti... De
là, elle a rebondi sur le petit gazon des
concierges, le concierge l'a vue passer en l'air.
Il m'a dit : « J'ai cru que c'était un para-
pluie qui tombait... » Qu'est-ce qu'elle a à
l'oreille ?... Non, c'est du blanc de mur.
Attends, que j'écoute son cœur...

Il coucha la chatte sur le flanc et interrogea
les côtes battantes, le rouage minuscule et
désordonné.

Ses cheveux blonds répandus, les yeux clos,
il sembla dormir sur le flanc de Saha, s'éveiller avec un soupir, et apercevoir seulement
Camille qui regardait, debout et silencieuse,
leur groupe serré.

— Crois-tu !... Elle n'a rien, du moins je
ne lui découvre rien, qu'un cœur terriblement
agité, mais un cœur de chat est normalement
agité. Mais comment ça a-t-il pu arriver ? Je
te le demande comme si tu pouvais le savoir,
ma pauvre petite. Elle est tombée de ce
côté-ci..., dit-il en regardant la porte-fenêtre
béante... Saute à terre, Saha, si tu peux...

Elle sauta après avoir hésité, mais se
recoucha sur le tapis. Elle respirait vite, et
continuait de regarder, d'un regard incertain,
toute la chambre.

— J'ai envie de téléphoner à Chéron...

Pourtant, tu vois, elle se lave. Elle ne se laverait pas si elle avait un mal caché... Ah ! bon Dieu !

Il s'étira, jeta son veston sur le lit, vint à Camille...

— Quelle alerte... Te voilà bien jolie toute en blanc... Embrasse-moi, ma mouche dans du lait !...

Elle s'abandonna dans les bras qui se souvenaient enfin d'elle, et ne put retenir des sanglots saccadés.

— Non ?... Tu pleures ?

Il se troubla à son tour, cacha son front dans les cheveux noirs et doux.

— Je... je ne savais pas que tu étais bonne, figure-toi...

Elle eut le courage de ne pas se dégager sur ce mot. Alain, d'ailleurs, retourna vite à Saha, qu'il voulut conduire sur la terrasse à cause de la chaleur. Mais la chatte résista, se contenta de se coucher près du seuil, tournée vers le soir bleu comme elle. De temps en temps, elle tressaillait brièvement et surveillait derrière elle le fond de la chambre triangulaire.

— C'est la commotion, expliqua Alain. J'aurais voulu l'installer dehors...

— Laisse-la, dit faiblement Camille. Puisqu'elle ne veut pas.

— Ses caprices sont des ordres. Surtout

aujourd'hui ! Qu'est-ce qu'il peut bien rester de mangeable, à cette heure-ci ? Neuf heures et demie !

La mère Buque roula la table sur la terrasse, et ils dînèrent devant le Paris de l'Est, le plus piqueté de feux. Alain parlait beaucoup, buvait de l'eau rougie, accusait Saha de maladresse, d'imprudence, de « faute de chat »...

— Les « fautes de chat » sont des sortes d'erreurs sportives, des défaillances imputables à l'état de civilisation et de domestication... Elles n'ont rien de commun avec des maladresses, des brusqueries presque voulues...

Mais Camille ne lui demandait plus : « Comment le sais-tu ? »

Après le dîner, il emporta Saha et entraîna Camille dans le studio, où la chatte consentit à boire le lait qu'elle avait refusé. En buvant elle tremblait de tout le corps, comme les chats qu'on abreuve de liquides trop froids.

— La commotion, répéta Alain. Je demanderai tout de même à Chéron de passer la voir demain matin... Oh ! j'oublie tout ! s'écria-t-il gaiement. Téléphone chez le concierge ! J'ai laissé dans la loge le rouleau qu'y a déposé Massart, notre sacré meublier.

Camille obéit tandis qu'Alain, fatigué,

118

détendu, tombait dans un des fauteuils errants et fermait les yeux.

— Allô ! téléphonait Camille. Oui... Ça doit être ça... Un grand rouleau... Merci bien.

Les yeux fermés, il riait.

Elle était revenue près de lui, et le regardait rire.

— Cette petite voix que tu fais ! Qu'est-ce que c'est que cette nouvelle petite voix ? « Un grand rouleau... Merci bien », minauda-t-il. C'est à la concierge que tu réserves une si petite voix ? Viens, nous ne sommes pas trop de deux pour affronter les dernières créations de Massart.

Il déroula sur la table d'ébène un grand lé de whatmann. Aussitôt Saha, amoureuse de toute paperasse, sauta sur le lavis.

— Qu'elle est gentille ! s'exclama Alain. C'est pour me montrer qu'elle n'a aucun mal. O ma rescapée !... Est-ce qu'elle n'a pas une bosse à la tête ? Camille, tâte sa tête... Non, elle n'a pas de bosse. Tâte-lui la tête tout de même, Camille...

Une pauvre petite meurtrière, docile, essaya de sortir de la relégation où elle s'enfonçait, tendit la main et toucha doucement, avec une haine humble, le crâne de la chatte...

Le plus sauvage feulement, un cri, un bond d'épilepsie, répondirent à son geste, et Camille

119

fit « ha ! » comme une brûlée. Debout sur le lavis déployé, la chatte couvrait la jeune femme d'une accusation enflammée, levait le poil de son dos, découvrait ses dents et le rouge sec de sa gueule...

Alain s'était levé, prêt à protéger l'une de l'autre, Saha et Camille.

— Attention ! Elle est... elle est peut-être folle... Saha...

Elle le dévisagea avec violence, mais d'une manière lucide qui attestait la présence de sa raison.

— Qu'est-ce qu'il y a eu ? Où l'as-tu touchée ?

— Je ne l'ai pas touchée...

Ils se parlaient bas, et du bout des lèvres.

— Ça, par exemple..., dit Alain. Je ne comprends pas... Avance encore la main.

— Non, je ne veux pas ! protesta Camille. Elle est peut-être enragée, ajouta-t-elle.

Alain se risqua à caresser Saha, qui abattit son poil hérissé, se modela sous la paume amie, mais ramena la lumière de ses yeux sur Camille.

— Ça, par exemple..., répéta Alain lentement. Tiens, elle a une écorchure au nez, je n'avais pas vu... C'est du sang séché. Saha, Saha, sage... dit-il en voyant la fureur croître dans les yeux jaunes.

A cause du gonflement des joues, de la

rigidité chasseresse des moustaches dardées en avant, la chatte furieuse semblait rire. L'allégresse des combats tirait les coins mauves de la gueule, bandait le mobile menton musclé, et tout le félin visage s'efforçait avec un langage universel, vers un mot oublié des hommes...

— Qu'est-ce que c'est, ça ? dit brusquement Alain.

— Ça quoi ?

Sous le regard de la chatte, Camille récupérait la bravoure, et l'instinct de la défense. Penché sur le lavis, Alain déchiffrait des empreintes humides, par groupes de quatre petites taches autour d'une tache centrale irrégulière.

— Ses pattes... mouillées ? murmura Alain.

— Elle aura marché dans l'eau, dit Camille. Tu en fais des histoires avec rien !

Alain releva la tête vers la nuit sèche et bleue.

— Dans l'eau ? Dans quelle eau ?...

Il se retourna vers sa femme, enlaidi singulièrement par ses yeux qu'il arrondissait.

— Tu ne sais pas ce que c'est que ces traces-là ? dit-il âprement. Non, tu n'en sais rien. C'est de la peur, comprends-tu, de la peur. La sueur de la peur, la sueur du chat, la seule sueur du chat... Elle a donc eu peur...

Il prit avec délicatesse une patte de devant de Saha, et du doigt essuya la plante charnue. Puis il retroussa la vivante gaine blanche où se reposaient les ongles rétractiles :

— Elle a toutes les griffes cassées..., dit-il en se parlant à lui-même. Elle s'est retenue... accrochée... Elle a griffé la pierre en se retenant... Elle...

Il s'interrompit, prit sans un mot de plus la chatte sous son bras et l'emporta dans la salle de bains.

Seule, immobile, Camille prêtait l'oreille. Elle tenait ses mains nouées l'une à l'autre, et, libre, semblait chargée de liens.

— Madame Buque, disait la voix d'Alain, vous avez du lait ?

— Oui, Monsieur, dans le frigidaire.

— Alors, il est glacé ?

— Mais je peux le tiédir sur la plaque... C'est fait aussitôt que dit, tenez... C'est pour la chatte ? Elle n'est pas malade ?

— Non, elle est...

La voix d'Alain s'arrêta court, et changea :

— ... Elle est un peu dégoûtée de la viande par cette chaleur... Merci, Madame Buque. Oui, vous pouvez partir. A demain matin.

Camille entendit son mari aller et venir, ouvrir un robinet, sut qu'il pourvoyait la chatte de nourriture et d'eau fraîche.

Une ombre diffuse, au-dessus d'un abat-jour de métal, montait jusqu'à son visage où seules ses grandes prunelles bougeaient lentement.

Alain revint, resserrant nonchalamment sa ceinture de cuir, et se rassit à la table d'ébène. Mais il ne rappela pas Camille auprès de lui, et elle dut parler la première.

— Tu l'as renvoyée, la mère Buque ?

— Oui. Il ne fallait pas ?

Il allumait une cigarette et louchait sur la flamme du briquet.

— J'aurais voulu qu'elle apporte, demain matin... Oh ! c'est sans importance, ne t'excuse pas...

— Mais je ne m'excuse pas... Au fait, je l'aurais dû.

Il alla jusqu'à la baie ouverte, attiré par le bleu de la nuit. Il étudiait en lui-même un frémissement qui ne venait pas de l'émotion récente, un frémissement comparable à un trémolo d'orchestre, sourd et annonciateur. De la Folie-Saint-James une fusée monta, éclata en pétales lumineux que leur chute flétrit un à un, et le bleu nocturne recouvra sa paix, sa poudreuse profondeur. Dans le parc de la Folie, une grotte de rocailles, une colonnade, une cascade s'illuminèrent de blanc incandescent et Camille se rapprocha.

— Ils donnent une fête ?... Attendons le feu d'artifice... Tu entends les guitares ?

123

Il ne lui répondit pas, occupé de son propre frémissement. Les poignets et les mains fourmillants, les reins las et travaillés de mille piqûres, son état lui rappelait une lassitude exécrée, la fatigue des anciennes compétitions sportives, au collège — courses à pied, luttes à l'aviron —, d'où il sortait vindicatif, méprisant sa victoire ou sa défaite, palpitant et fourbu. Il n'était paisible qu'en une partie de lui-même, celle qui ne s'inquiétait plus de Saha. Depuis un long moment — ou depuis un moment très court — depuis la découverte des griffes cassées, depuis la peur furibonde de Saha, il n'avait pas exactement mesuré le temps.

— Ce n'est pas un feu d'artifice, dit-il. Plutôt des danses...

Au mouvement que fit Camille près de lui dans l'ombre, il comprit qu'elle n'attendait plus sa réponse. Mais elle s'enhardit, et se rapprocha encore. Il la sentit venir sans appréhension, perçut de profil la robe blanche, un bras nu, un demi-visage éclairé de jaune par les lampes de l'intérieur, un demi-visage bleu absorbé par la nuit claire, deux demi-visages divisés par le petit nez régulier, doués chacun d'un grand œil qui cillait peu.

— Oui, des danses, approuva-t-elle. Ce sont des mandolines, pas des guitares... Écoute...

Les donneurs... de sé-é-réna...des, Et les bel-
les é-écou-teu...

Sur la note la plus haute sa voix trébucha,
et elle toussa pour excuser sa défaillance.

« Mais quelle petite voix... », s'étonnait
Alain. « Qu'a-t-elle fait de sa voix, grande
ouverte comme ses yeux ? Elle chante d'une
voix de fillette, et s'enroue... »

Les mandolines se turent, la brise apporta
une faible rumeur humaine de plaisir et d'ap-
plaudissements. Peu après une fusée monta,
éclata en ombrelle de rayons mauves où
pendaient des larmes de feu vif.

— Oh !... s'écria Camille.

Ils avaient surgi de l'ombre tous deux
comme deux statues, Camille en marbre lilas,
Alain plus blanc, les cheveux verdâtres et les
prunelles décolorées. La fusée éteinte, Camille
soupira.

— C'est toujours trop court... dit-elle
plaintive.

La musique lointaine recommença. Mais
un caprice du vent détourna le son des
instruments à résonance aiguë, et les temps
forts d'un des cuivres d'accompagnement, sur
deux notes, montèrent lourdement jusqu'à
eux.

— C'est dommage, dit Camille. Ils ont
sans doute le meilleur jazz. C'est *Love in the
night*, qu'il joue...

Elle fredonna la mélodie d'une voix insaisissable, tremblante et haute, comme succédant à des pleurs. Cette voix nouvelle redoublait le malaise d'Alain, engendrait en lui un besoin de révélation, l'envie de briser ce qui, — depuis un long moment, ou depuis un moment très court ? — s'élevait entre Camille et lui, ce qui n'avait pas encore de nom mais grandissait vite, ce qui l'empêchait de prendre Camille par le cou comme un garçon, ce qui le tenait accoté et immobile, attentif, contre le mur encore tiède de la chaleur du jour... Il devint impatient, et dit :

— Chante encore...

Une longue pluie tricolore, en branchages retombant comme les branches des saules pleureurs, raya le ciel au-dessus du parc, et montra à Alain Camille étonnée, déjà défiante :

— Chanter quoi ?

— *Love in the night,* ou n'importe quoi...

Elle hésita, refusa :

— Laisse que j'écoute le jazz... même d'ici on entend qu'il est d'un moelleux...

Il n'insista pas, contint son impatience, dompta le fourmillement dont son corps retentissait tout entier.

Un essaim de petits soleils gais, qui gravitaient légers sur la nuit, prit l'essor, tandis qu'Alain les confrontait secrètement avec les constellations de ses songes préférés.

« Ceux-ci sont à retenir... je tâcherai de les emporter là-bas », nota-t-il gravement. « J'ai trop négligé mes rêves... » Enfin, dans le ciel, au-dessus de la Folie, naquit et gonfla une sorte d'aurore vagabonde, jaune et rose, qui creva en médailles vermeilles, en fougères fulminantes, en rubans de métal aveuglant...

Des cris d'enfants, sur les terrasses inférieures, saluèrent le prodige à la lumière duquel Alain vit Camille distraite, absorbée, réclamée en elle-même par d'autres lueurs...

Il cessa d'hésiter dès que la nuit se referma, et glissa son bras nu sous le bras nu de Camille. En le touchant, il lui sembla qu'il le voyait, d'un blanc à peine teinté par l'été, vêtu d'un duvet à brins fins couchés sur la peau, mordorés sur l'avant-bras, plus pâles près de l'épaule...

— Tu es froide... murmura-t-il. Tu n'es pas souffrante ?

Elle pleura tout bas, si promptement qu'Alain la soupçonna d'avoir préparé ses larmes.

— Non... C'est toi... C'est toi qui... qui ne m'aimes pas.

Il s'adossa au mur, prit Camille contre sa hanche. Il la sentait tremblante, et froide de l'épaule jusqu'à ses genoux, nus au-dessus des bas roulés. Elle adhérait à lui fidèlement, et ne ménageait pas son poids.

— Ah ! Ah ! je ne t'aime pas. Bon. C'est encore une scène de jalousie à cause de Saha ?

Il perçut, dans tout le corps qu'il soutenait, une onde musculeuse, une reprise de défense et d'énergie, et il insista, encouragé par l'heure, par une sorte d'opportunité indicible.

— Au lieu d'adopter comme moi cette charmante bête... Sommes-nous le seul jeune ménage à élever un chat, un chien ? Veux-tu un perroquet, un ouistiti, un couple de colombes, un chien, pour me rendre à mon tour bien jaloux ?

Elle secoua les épaules, en protestant à bouche fermée d'une voix chagrine. La tête haute, Alain surveillait sa propre voix, et se stimulait. « Allez, allez... encore deux ou trois enfantillages, du remplissage, et on arrive à quelque chose... Elle est comme une jarre qu'il faut que je renverse pour la vider... Allez... Allez... »

— Veux-tu un petit lion, un crocodile enfant, de cinquante ans à peine ? Non ?... Va, tu ferais mieux d'adopter Saha... Pour peu que tu t'en donnes la peine, tu verras...

Camille s'arracha de ses bras, si rudement qu'il chancela.

— Non ! cria-t-elle. Ça, jamais ! Tu m'entends ? Jamais !

Elle exhala un soupir furieux, et répéta plus bas :

— Ah ! non !... Jamais.

« Ça y est », se dit Alain avec délectation.

Il poussa Camille dans la chambre, fit tomber le store extérieur, alluma au plafond le rectangle de verre et ferma la fenêtre. D'un mouvement animal, Camille se rapprocha de l'issue, qu'Alain rouvrit.

— A la condition que tu ne cries pas, dit-il.

Il roula près de Camille l'unique fauteuil, enfourcha l'unique chaise au pied du large lit découvert, nappé de frais.

Les rideaux de toile cirée, éployés pour la nuit, verdissaient la pâleur de Camille et sa robe blanche froissée.

— Alors ? commença Alain. Inarrangeable ? Affreuse histoire ? Ou elle, ou toi ?

Elle répondit d'un bref signe de tête, et Alain comprit qu'il fallait abandonner le ton badin.

— Que veux-tu que je te dise ? reprit-il après un silence. La seule chose que je ne veux pas te dire ? Tu sais bien que je ne renoncerai pas à cette chatte. J'en aurais honte. Honte devant moi, et devant elle...

— Je sais, dit Camille.

— ... Et devant toi, acheva Alain.

— Oh ! moi... dit Camille en levant la main.

— Tu comptes aussi, dit Alain durement. En somme, c'est à moi seul que tu en veux ? Tu n'as rien à reprocher à Saha, que l'affection qu'elle me porte ?

Elle ne répondit que par un regard trouble et hésitant, et il fut irrité d'avoir à la questionner encore. Il avait cru qu'une scène, violente et brève, forcerait toutes les issues, il s'en était remis à cette facilité. Mais, le premier cri jeté, Camille se repliait et ne fournissait d'aucun brandon le brasier. Il usa de patience :

— Dis-moi, mon petit... Quoi donc ? je ne peux pas t'appeler mon petit ? Dis-moi, s'il s'agissait d'un autre chat que Saha, serais-tu moins intolérante ?

— Naturellement oui, répondit-elle très vite.

— C'est juste, dit Alain avec une loyauté calculée.

— Même une femme, continua Camille en s'échauffant, même une femme tu ne l'aimerais pas sans doute autant.

— C'est juste, dit Alain.

— Tu n'es pas comme les gens qui aiment les bêtes, toi... Patrick, lui, il aime les bêtes... Il prend les gros chiens par le cou, il les roule, il imite les chats pour voir la tête qu'ils feront, il siffle les oiseaux...

130

— Oui, enfin, il n'est pas difficile, dit Alain.

— Toi, c'est autre chose, tu aimes Saha...

— Je ne te l'ai jamais caché, mais je ne t'ai pas menti non plus quand je t'ai dit : Saha n'est pas ta rivale...

Il s'interrompit et abaissa ses paupières sur son secret, qui était un secret de pureté.

— Il y a rivale et rivale, dit Camille sarcastiquement.

Elle rougit soudain, s'enflamma d'une ivresse brusque, marcha sur Alain.

— Je vous ai vus ! cria-t-elle. Le matin, quand tu passes la nuit sur ton petit divan... Avant que le jour se lève, je vous ai vus, tous deux...

Elle tendit un bras tremblant vers la terrasse.

— Assis, tous les deux... vous ne m'avez même pas entendue ! Vous étiez comme ça, la joue contre la joue...

Elle alla jusqu'à la fenêtre, reprit haleine et revint sur Alain.

— C'est à toi de dire honnêtement si j'ai tort d'en vouloir à cette chatte, et tort de souffrir.

Il garda le silence si longtemps qu'elle s'irrita de nouveau.

— Mais parle ! Dis quelque chose ! Au

point où nous en sommes... Qu'est-ce que tu attends ?

— La suite, dit Alain. Le reste.

Il se leva doucement, se pencha sur sa femme, et baissa la voix en désignant la porte-fenêtre :

— C'est toi, n'est-ce pas ? Tu l'as jetée ?...

Elle mit, d'un mouvement prompt, le lit entre elle et lui, mais ne nia point. Il la regarda fuir avec une sorte de sourire :

— Tu l'as jetée, dit-il rêveur. J'ai bien senti que tu avais tout changé entre nous, tu l'as jetée... elle a cassé ses griffes en s'accrochant au mur...

Il baissa la tête, imagina l'attentat.

— Mais comment l'as-tu jetée ? En la tenant par la peau du cou ?... En profitant de son sommeil sur le parapet ?... Est-ce que tu as longtemps organisé ton coup ? Vous ne vous êtes pas battues, avant ?...

Il releva le front, regarda les mains et les bras de Camille.

— Non, tu n'as pas de marques. Elle t'a bien accusée, hein, quand je t'ai obligée à la toucher... Elle était magnifique...

Son regard, abandonnant Camille, embrassa la nuit, la cendre d'étoiles, les cimes des trois peupliers qu'éclairaient les lumières de la chambre...

— Eh bien, dit-il simplement, je m'en vais.

132

— Oh ! écoute... écoute... supplia Camille follement, très bas.

Elle le laissa pourtant sortir de la chambre. Il ouvrit les placards, parla à la chatte dans la salle de bains. Le bruit de ses pas avertit Camille qu'il venait de chausser des souliers de ville, et machinalement elle regarda l'heure. Il rentra, portant Saha dans un panier ventru dont Mme Buque se servait pour faire le marché. Vêtu à la hâte, les cheveux mal coiffés, un foulard au cou, il avait un air de désordre amoureux, et les paupières de Camille se gonflèrent. Mais elle entendit Saha remuer dans le panier, et elle serra les lèvres.

— Voilà, je m'en vais, répéta Alain.

Il abaissa les yeux, souleva un peu le panier, et corrigea avec une cruauté raisonnée :

— Nous nous en allons.

Il assujettit le couvercle d'osier, en expliquant :

— Je n'ai trouvé que ça dans la cuisine.

— Tu vas chez toi ? demanda Camille, en se forçant à imiter le calme d'Alain.

— Mais naturellement.

— Est-ce que tu... est-ce que je peux compter te voir ces jours-ci ?

— Mais certainement.

De surprise, elle mollit encore une fois,

faillit plaider, pleurer, s'en défendit avec effort.

— Et toi, dit Alain, tu restes seule ici, cette nuit ? Tu n'auras pas peur ? Si tu l'exigeais, je resterais, mais...

Il tourna la tête vers la terrasse.

— ... Mais franchement je n'y tiens pas... Qu'est-ce que tu comptes dire, chez toi ?

Blessée qu'il la renvoyât, en paroles, aux siens, Camille se redressa.

— Je n'ai rien à leur dire. Ce sont des choses qui me regardent, je pense... je n'ai aucun goût pour les conseils de famille.

— Je te donne tout à fait raison — provisoirement.

— D'ailleurs nous pourrons décider, à partir de demain...

Il leva sa main libre pour parer à cette menace d'avenir.

— Non. Pas demain. Aujourd'hui il n'y a pas de demain.

Sur le seuil de la chambre, il se retourna.

— Dans la salle de bains, j'ai laissé ma clef, et l'argent que nous avons ici...

Elle l'interrompit ironiquement :

— Pourquoi pas une caisse de conserves, et une boussole ?

Elle faisait la brave, et le toisait, une main sur la hanche, la tête d'aplomb sur son beau cou. « Elle soigne ma sortie », pensa Alain. Il

134

voulut répliquer par une analogue coquetterie de la dernière heure, rejeter ses cheveux sur son front, user du regard étouffé entre les cils et dédaigneux de se poser ; mais il renonça à une mimique incompatible avec le panier à provisions, et se borna à un vague salut vers Camille.

Elle gardait sa contenance, son apparat théâtral.

A distance, il vit mieux, avant de sortir, le cerne de ses yeux et la moiteur qui couvrait ses tempes et son cou sans plis.

En bas, il traversa machinalement la rue, la clef du garage à la main. « Je ne peux pas faire cela », songea-t-il, et il rebroussa chemin vers l'avenue, assez lointaine, où roulaient la nuit les taxis maraudeurs. Saha miaula deux ou trois fois et il la calma de la voix. « Je ne peux pas faire cela, mais ce serait vraiment beaucoup plus commode de prendre la voiture. Neuilly est impossible la nuit. » Il s'étonnait, ayant compté sur une détente heureuse, de perdre son sang-froid depuis qu'il était seul, et la marche ne l'apaisait pas. Enfin il rencontra un taxi errant, et trouva longue la course de cinq minutes.

Il grelottait, dans la nuit tiède, sous le bec de gaz, en attendant que la grille s'ouvrît. Saha, qui avait reconnu l'odeur du jardin, miaulait à petits coups dans le panier posé sur le trottoir.

Le parfum des glycines en leur seconde floraison traversa l'air, et Alain trembla plus fort, en s'appuyant d'un pied sur l'autre comme par un froid vif. Il sonna de nouveau, car rien ne s'éveillait dans la maison malgré la sonorité grave et scandaleuse du gros timbre. Enfin une lumière parut dans les petits bâtiments du garage, et il entendit les pieds traînants du vieil Émile sur le gravier.

— C'est moi, Émile, dit-il quand la face sans couleur du vieux valet s'appuya aux barreaux.

— C'est Monsieur Alain ? dit Émile en exagérant son chevrotement. La jeune dame de Monsieur Alain n'est pas indisposée ? L'été est si traître... Monsieur Alain a une valise, je vois ?

— Non, c'est Saha. Laissez, je la porte. Non, n'allumez pas les globes, la lumière pourrait réveiller Madame... Ouvrez-moi seulement la porte d'entrée, et retournez vous coucher.

— Madame est réveillée, c'est elle qui m'a sonné, je n'avais pas entendu le gros timbre. Dans mon premier sommeil, n'est-ce pas...

Alain se hâtait pour échapper au verbiage, au bruit de pas flageolants qui le suivaient. Il ne butait pas au tournant des allées, quoique la nuit fût sans lune. La grande pelouse, plus pâle que les plates-bandes cultivées, le guidait. L'arbre mort drapé, au centre du gazon, figurait un homme énorme, debout, son manteau sur le bras. L'odeur des géraniums arrosés arrêta Alain et lui serra la gorge. Il se pencha, ouvrit le panier à tâtons et délivra la chatte.

— Saha, notre jardin...

Il la sentit couler hors du panier, et par tendresse il cessa de s'occuper d'elle. Il lui rendit, lui dédia la nuit, la liberté, la terre spongieuse et douce, les insectes veilleurs et les oiseaux endormis.

Derrière les persiennes du rez-de-chaussée, une lampe attendait et Alain se rembrunit. « Parler, et encore parler, expliquer à ma mère... expliquer quoi ? C'est si simple... C'est si difficile... »

Il ne désirait que le silence, la chambre semée de bouquets aux plates couleurs, le lit, et surtout les larmes véhémentes, les gros sanglots rauques comme une toux, compensation coupable et cachée...

— Entre, mon chéri, entre...

Il avait peu fréquenté la chambre maternelle. Son égoïste aversion des fioles compte-gouttes, des boîtes de digitaline et des tubes homéopathiques datait de l'enfance et durait encore. Mais il ne résista pas à la vue du lit étroit et sans recherche, de la femme aux cheveux blancs et drus qui se soulevait sur ses poignets.

— Vous savez, maman, il n'y a rien d'extraordinaire...

Il accompagna cette phrase stupide d'un sourire dont il eut honte, un sourire horizontal à joues raides. Sa fatigue venait de le ruiner d'un coup, et lui infligeait un démenti qu'il accepta. Il s'assit au chevet de sa mère et dénoua son foulard.

— Je vous demande pardon de ma tenue, je suis venu comme j'étais... J'arrive à des heures indues, sans crier gare...

— Mais tu as crié gare, dit Mme Amparat.

Elle jeta un regard sur les chaussures poussiéreuses d'Alain.

— Tu as des souliers de chemineau...

— Je ne viens que de chez moi, maman. Mais j'ai dû chercher un taxi assez longtemps. Je portais la chatte...

— Ah ! fit Mme Amparat d'un air entendu, tu as rapporté la chatte ?

— Oh ! naturellement... Si vous saviez...

Il s'arrêta, retenu par une discrétion bizarre. « Ce sont des choses qu'on ne raconte pas. Ce ne sont pas des histoires pour parents. »

— Camille n'aime pas beaucoup Saha, maman.

— Je sais, dit Mme Amparat.

Elle se força à sourire, hocha ses cheveux crépelés.

— C'est très grave, ça !

— Oui, pour Camille, dit Alain, malveillant.

Il se leva, se promena parmi les meubles, houssés de blanc pour l'été comme dans les maisons de province. Depuis qu'il avait résolu de ne pas dénoncer Camille, il ne trouvait plus rien à dire.

— Vous savez, maman, il n'y a eu ni cris ni bris de vaisselle... La coiffeuse en verre n'a pas souffert, et les voisins ne sont pas montés. Seulement il me faut un peu de... de solitude, de repos... Je ne vous cache pas que je n'en peux plus, dit-il en s'asseyant sur le lit.

— Non, tu ne me le caches pas, dit Mme Amparat.

Elle posa une main sur le front d'Alain, renversant vers la lumière cette jeune figure d'homme où levait une barbe pâle. Il se plaignit, détourna ses yeux changeants et réussit à différer encore le tumulte de pleurs qu'il se promettait.

— S'il n'y a pas de draps à mon ancien lit, maman, je m'envelopperai dans n'importe quoi...

— Il y a des draps à ton lit, dit Mme Amparat.

Sur ce mot il étreignit sa mère, l'embrassa

en aveugle sur les yeux, sur les joues et les cheveux, lui poussa son nez dans le cou, bégaya « bonne nuit » et sortit en reniflant.

Dans le vestibule, il se ressaisit et ne gravit pas tout de suite l'escalier, parce que la nuit finissante et Saha l'appelaient. Mais il n'alla pas loin. Le perron lui suffit. Il s'assit dans l'ombre, sur une marche, et la main qu'il étendit rencontra le pelage, les moustaches en antennes subtiles et les fraîches narines de Saha.

Elle tournait et retournait sur place, selon le code du fauve caressant. Elle lui parut toute petite, légère comme un chaton, et parce qu'il avait faim il pensa qu'elle avait besoin de manger.

— Nous mangerons demain... tout à l'heure... le jour va venir...

Déjà elle embaumait la menthe, le géranium et le buis. Il la tenait confiante et périssable, promise à dix ans de vie peut-être, et il souffrait en pensant à la brièveté d'un si grand amour.

— Après toi je serai sans doute à qui voudra... A une femme, à des femmes. Mais jamais à un autre chat.

Un merle siffla quatre notes dont retentit tout le jardin, et se tut. Mais les passereaux l'avaient entendu et répondirent. Sur la pelouse et sur les massifs fleuris naissaient les fantômes des couleurs. Alain discerna un blanc maussade, un rouge engourdi plus triste que le noir, un jaune englué dans le vert environnant, une fleur jaune arrondie qui bientôt gravita plus jaune, suivie d'yeux et de lunes... Chancelant, subjugué de sommeil, Alain atteignit sa chambre, jeta ses vêtements, découvrit le lit fermé, et la fraîcheur des draps le conquit tout entier.

Couché sur le dos, un bras étendu, la chatte pétrissant, muette et concentrée, son épaule, il descendait à pic et sans halte au plus profond du repos, quand un sursaut le ramena vers le petit jour, le balancement des arbres éveillés et le grincement béni du tramway lointain.

« Qu'est-ce que j'ai ? Je voulais... Ah ? oui, je voulais pleurer... » Il sourit et retomba endormi.

Il dormit fiévreux, gorgé de rêves. A deux ou trois reprises il crut qu'il s'éveillait et reprenait conscience du lieu où il reposait, mais chaque fois, il fut détrompé par l'expression des parois de sa chambre, hargneuses et guettant un œil ailé qui voletait.

« Mais je dors, voyons, je dors... »

« Je dors... » répondit-il encore au crissement du gravier. « Puisque je vous dis que je dors ! » cria-t-il à deux pieds traînassants, qui frôlaient la porte. Les pieds s'éloignèrent et le dormeur s'applaudit en songe. Mais le rêve avait mûri sous les sollicitations réitérées, et Alain ouvrit les yeux.

Le soleil, qu'il avait laissé en mai sur le rebord de la fenêtre, était devenu un soleil d'août, et ne dépassait plus le tronc satiné du tulipier, en face de la maison. « Comme l'été a vieilli », se dit Alain. Il se leva, nu, chercha un vêtement et trouva un pyjama trop court, à manches étroites, un peignoir de bain décoloré, qu'il revêtit joyeusement. La fenêtre l'appelait, mais il se heurta à la photographie de Camille, oubliée au chevet. Il examina curieusement le petit portrait inexact, lustré, blanchi ici, là noirci. « Il est plus ressemblant que je ne le croyais », pensa-t-il. « Comment ne m'en suis-je pas aperçu ? Il y a quatre mois, je disais : « Oh ! elle est très différente de ceci, fine et moins dure... », mais je me trompais... »

La brise longue et égale courait à travers les arbres avec un murmure de rivière. Ébloui, une faim douloureuse au creux de l'estomac, Alain s'abandonnait : « Comme c'est doux, une convalescence... » Pour le combler d'illusion, un doigt heurta la porte, et la Basquaise barbue entra, portant un plateau.

— Mais j'aurais mangé au jardin, Juliette !

Elle fit une manière de sourire dans ses poils gris.

— J'avais pensé... Si Monsieur Alain veut que je descende le plateau ?

— Non, non, j'ai trop faim, laissez ça là. Saha viendra par la fenêtre.

Il appela la chatte qui surgit d'une retraite invisible, comme si elle naissait à son appel. Elle s'élança sur le chemin vertical de plantes grimpantes et retomba, — elle avait oublié ses griffes cassées.

— Attends, je viens !

Il la rapporta dans ses bras et ils se gorgèrent, elle de lait et de biscottes, lui de tartines et de café brûlant. Sur un coin du plateau, une petite rose fleurissait l'oreille du pot de miel.

« Ce n'est pas une rose de ma mère », estima Alain. C'était une petite rose mal faite, un peu avortée, une rose dérobée aux rameaux bas, qui exhalait un farouche parfum de rose jaune. « Ça, c'est un hommage de la Basquaise... »

Saha, rayonnante, semblait avoir engraissé depuis la veille. Le jabot tendu, ses quatre raies de moire bien marquées entre les oreilles, elle fixait sur le jardin des yeux de despote heureux.

— Comme c'est simple, n'est-ce pas, Saha, pour toi du moins...

Le vieil Émile entra à son tour, réclama les chaussures d'Alain.

— Il y a un des lacets qui est bien éprouvé... Monsieur Alain n'en a pas d'autre ? Ça ne fait rien, j'y mettrai un lacet à moi, bêla-t-il avec émotion.

« Décidément, c'est ma fête », se dit Alain. Ce mot le rejeta par contraste vers le souci de tout ce qui hier était quotidien, la toilette, l'heure d'aller aux bureaux Amparat, l'heure de revenir déjeuner avec Camille...

— Mais je n'ai rien à me mettre ! s'écria-t-il.

Le rasoir un peu rouillé, l'ovule de savon rose, l'ancienne brosse à dents, il les reconnut dans la salle de bains, et s'en servit avec une joie de naufragé pour rire. Mais il dut descendre en pyjama trop court, la Basquaise ayant emporté ses vêtements.

— Viens, Saha, Saha...

Elle le précédait, il courut gauchement, les pieds mal assurés dans des sandales de raphia effilochées.

Il tendit l'épaule à la chape de soleil adouci, et ferma à demi ses paupières déshabituées de la réverbération verte des gazons, de la chaude couleur ascendante que rejetaient un bloc serré d'amarantes à crêtes charnues, une touffe de sauges rouges cernées d'héliotropes.

144

— Oh ! les mêmes, les mêmes sauges !

Ce petit massif en forme de cœur, Alain ne l'avait connu que rouge, et toujours bordé d'héliotropes, et protégé par un cerisier âgé, maigre, qui parfois donnait quelques cerises en septembre...

— J'en vois six... sept... Sept cerises vertes !

Il parlait à la chatte qui, l'œil vide et doré, atteint par l'odeur démesurée des héliotropes, entrouvrait la bouche, et manifestait la nauséeuse extase du fauve soumis aux parfums outranciers..

Elle goûta une herbe pour se remettre, écouta des voix, se frotta le museau aux dures brindilles des troènes taillés. Mais elle ne se livra à aucune exubérance, nulle gaieté irresponsable, et elle marcha noblement sous le petit nimbe d'argent qui l'enserrait de toutes parts.

« Jetée, du haut de neuf étages », songeait Alain en la regardant. « Saisie, — ou poussée... Peut-être s'est-elle défendue, — peut-être s'est-elle échappée, pour être reprise et jetée... Assassinée... »

Il essayait par de telles conjectures d'allumer en lui la juste colère, et n'y parvenait pas. « Si j'aimais vraiment, profondément Camille, quelle fureur... » Autour de lui rayonnait son royaume, menacé comme tous les royaumes.

« Ma mère assure qu'avant vingt ans, personne ne pourra plus conserver des demeures, des jardins comme ceux-ci. C'est possible. Je veux bien les perdre. Je ne veux pas y laisser entrer les... »

Une sonnerie de téléphone, dans la maison, l'émut. « Allons ! est-ce que j'ai peur ? Camille n'est pas assez bête pour me téléphoner. Rendons-lui cette justice : je n'ai jamais vu une jeune femme user plus discrètement de cet outil... »

Mais il ne put se tenir de courir tant bien que mal, perdant ses sandales et trébuchant sur les graviers ronds, et d'appeler :

— Maman ! Qui est-ce qui téléphone ?

L'épais peignoir blanc parut sur le perron, et Alain se sentit honteux d'avoir appelé.

— Que j'aime votre gros peignoir blanc, maman, toujours le même, toujours le même...

— Je te remercie bien pour mon peignoir, dit Mme Amparat.

Elle prolongea un moment l'attente d'Alain.

— C'était M. Veuillet. Il est neuf heures et demie. Tu ne connais plus les habitudes de la maison ?

Elle peigna de ses doigts les cheveux de son fils, boutonna le pyjama trop étroit.

— Te voilà joli ! Tu ne vas pas passer ta vie en va-nu-pieds, je pense ?

Alain lui sut gré de questionner si habilement.

— Il n'en est pas question, maman. Tout à l'heure je vais m'occuper de tout ça...

Mme Amparat arrêta tendrement le geste ample et vague :

— Ce soir, où seras-tu ?

— Ici ! cria-t-il, et les larmes lui montèrent aux yeux.

— Mon Dieu ! quel enfant !... dit Mme Amparat, et il releva le mot avec une gravité de boy-scout.

— C'est possible, maman. Je voudrais justement prendre un peu conscience de ce que je dois faire, sortir de cette enfance...

— Par où ? Par un divorce ? C'est une porte qui fait du bruit.

— Mais qui donne de l'air, osa-t-il répliquer vertement.

— Est-ce qu'une séparation... temporaire, un régime de repos, ou de voyage... ne donnerait pas d'aussi bons résultats ?

Il leva des bras indignés.

— Mais, ma pauvre maman, vous ne savez pas... Vous êtes à cent lieues d'imaginer...

Il allait tout dire, raconter l'attentat...

— Eh bien, laisse-moi à cent lieues ! Ces choses-là ne me concernent pas, aie un peu de... de réserve, voyons... dit précipitamment Mᵐᵉ Amparat, et Alain profita de sa pudique erreur.

— Maintenant, maman, il y a encore le côté embêtant — je veux dire le point de vue famille qui se confond avec le point de vue commercial... Du point de vue Malmert, mon divorce serait sans excuse, quelle que soit la part de responsabilité de Camille... Une mariée de trois mois et demi... J'entends d'ici...

— Où prends-tu que ce soit un point de vue commercial ? Vous n'avez pas de firme commune, toi et la petite Malmert. Un couple n'est pas une paire d'associés.

— Je sais bien, maman ! Mais enfin, si les choses prennent la tournure que j'envisage, c'est une période odieuse que celle des formalités, des entrevues, des... Ce n'est jamais si simple qu'on le dit, un divorce...

Elle écoutait son fils avec douceur, sachant que certaines causes fructifient en effets imprévus, et qu'un homme est obligé, au long de sa vie, de naître plusieurs fois sans autre secours que le hasard, les contusions, les erreurs...

— Ce n'est jamais simple de quitter ce qu'on a voulu s'attacher, dit Mᵐᵉ Amparat. Elle n'est pas si mauvaise, cette petite Malmert. Un peu... grosse, un peu sans manières... Non, pas si mauvaise. Du moins, c'est ma

148

manière de voir... Je ne te l'impose pas. Nous avons le temps d'y réfléchir...

— J'ai pris ce soin, dit Alain avec une politesse revêche. Et bien que je préfère, pour l'instant, garder pour moi certaine histoire...

Son visage s'éclaira soudain d'un rire, d'une enfance retrouvée. Dressée sur ses pattes de derrière, Saha, la patte en cuiller au-dessus d'un arrosoir plein, pêchait des fourmis noyées.

— Regardez-la, maman ! N'est-elle pas un miracle de chatte ?

— Oui, soupira Mme Amparat. C'est ta chimère.

Il était toujours étonné quand sa mère usait d'un mot rare. Il salua celui-ci d'un baiser appuyé sur une main tôt vieillie, à grosses veines, tavelée de ces lunules brunes que Juliette la Basquaise nommait lugubrement des « taches de terre ». Au coup de timbre qui résonna à la grille, il se redressa.

— Cache-toi, dit Mme Amparat. Nous sommes sur le passage des fournisseurs. Va t'habiller... Vois-tu que le petit du boucher te surprenne accoutré comme tu l'es ?...

Mais ils savaient tous deux que le petit du boucher ne sonnait pas à la grille des visiteurs, et déjà Mme Amparat tournait le dos, se hâtait de gravir le perron, en relevant à deux mains son peignoir. Derrière les fusains taillés, Alain vit passer, courant, la Basquaise en déroute, son tablier de soie noire au vent, et un glissement de pantoufles sur le gravier dénonça la fuite du vieil Émile. Alain lui coupa la route :

— Vous avez ouvert, au moins ?

— Oui, Monsieur Alain, la jeune dame est après sa voiture...

Il leva vers le ciel un œil terrifié, remonta ses épaules comme sous la grêle et disparut.

« Pour une panique, c'est une panique. J'aurais bien voulu m'habiller... Tiens, elle a un tailleur neuf... »

Camille l'avait aperçu et venait droit à lui, sans trop de hâte. Dans un de ces moments de trouble presque hilares que couvent les heures dramatiques, il pensa confusément : « Peut-être qu'elle vient déjeuner... »

Soigneusement et légèrement maquillée, armée de cils noirs, de belles lèvres décloses, de dents brillantes, elle parut pourtant perdre son assurance lorsque Alain avança à sa rencontre. Car il approchait sans se détacher de son atmosphère protectrice, foulait le gazon natal sous la complicité fastueuse des arbres, et Camille le contemplait avec des yeux de pauvre.

— Excuse-moi, j'ai l'air d'un collégien en crise de croissance... Nous n'avions pas pris rendez-vous pour ce matin ?

150

— Non... Je t'ai apporté ta grosse valise pleine.

— Mais il ne fallait pas ! se récria-t-il. J'aurais fait prendre aujourd'hui par Émile...

— Parlons-en, d'Émile... J'ai voulu lui passer ta valise, mais ce vieil idiot s'est sauvé comme si j'avais la peste... La valise est par terre près de la grille...

En rougissant d'humiliation, elle se mordit l'intérieur de la joue. « Ça débute bien », se dit Alain.

— Je suis désolé... Tu sais comment il est, Émile... Écoute, décida-t-il, allons donc dans le rond-de-fusains, nous serons plus tranquilles que dans la maison.

Il se repentit tout de suite de son choix, car le rond-de-fusains, petite architecture d'arbres taillés autour d'une clairière meublée d'osier, avait caché autrefois leurs baisers clandestins.

— Attends que j'enlève les brindilles. Il ne faut pas abîmer ce joli costume, que je ne connais pas...

— Il est neuf, dit Camille avec un accent de tristesse profonde, comme elle eût dit : « Il est mort. »

Elle s'assit de biais, en regardant autour d'elle. Deux arcades arrondies, l'une en face de l'autre, perçaient la rotonde de verdure. Alain se souvint d'une confidence de Camille : « Tu n'as pas idée comme il a pu m'intimider, ton beau jardin... J'y venais comme la petite fille du village qui vient jouer avec le fils des châtelains dans le parc. Et pourtant... » D'un mot, elle avait tout gâté, le dernier mot, ce « pourtant » qui évoquait la prospérité des essoreuses Malmert, comparée à la maison Amparat déclinante...

Il remarqua que Camille restait gantée. « Ça, c'est une précaution qui se retourne contre elle... Sans ces gants, je n'aurais peut-être pas pensé à ses mains, à ce qu'elles ont commis... Ah ! voilà donc enfin un peu, un peu de colère », se dit-il en écoutant le battement de son cœur. « J'y ai mis le temps. »

— Alors... dit Camille d'un ton morne, alors qu'est-ce que tu fais ?... Peut-être que tu n'as pas encore réfléchi...

— Si, dit Alain.

— Ah !

— Oui. Je ne peux pas revenir.

— Je comprends bien qu'il n'est pas question aujourd'hui...

— Je ne veux pas revenir.

— Du tout ?... Jamais ?

Il haussa les épaules.

— Qu'est-ce que ça veut dire, jamais ? Je ne veux pas revenir. Pas maintenant. Je ne veux pas.

Elle épiait, tâchant de discerner le faux du vrai, l'irritation voulue du frémissement authentique. Il lui rendait suspicion pour suspicion. « Elle est petite, ce matin. Elle fait un peu jolie midinette. Elle est perdue dans tout ce vert. Nous avons déjà échangé pas mal de paroles inutiles... »

Au loin, par l'une des issues arrondies, Camille apercevait sur une des façades de la maison la trace des « travaux », une fenêtre neuve, des persiennes peintes de frais... Bravement elle se jeta au-devant du risque :

— Et si je n'avais rien dit, hier ? suggéra-t-elle brusquement. Si tu n'avais rien su ?

— Belle idée de femme, ricana-t-il. Elle te fait honneur.

— Oh ! dit Camille en secouant la tête, honneur, honneur... Ce ne serait pas la première fois que le bonheur d'un couple dépendrait de quelque chose d'inavouable, ou d'inavoué... Mais j'ai l'idée qu'en cachant cette histoire je n'aurais fait que reculer pour mieux sauter. Je ne te sentais pas... comment dire ?

Elle cherchait le mot et le mimait, en nouant ses mains l'une à l'autre. « Elle a tort de mettre ses mains en évidence », pensa Alain vindicatif. « Ces mains qui ont exécuté quelqu'un... »

— Enfin, tu es si peu de mon parti, dit Camille. N'est-ce pas ?

Frappé, il convint mentalement qu'elle ne

se trompait pas. Il se taisait et Camille insista plaintivement, d'une voix qu'il connaissait bien.

— Dis, méchant, dis ?...

— Mais, bon Dieu, éclata-t-il, ce n'est pas de ça qu'il est question ! Ce qui peut m'intéresser — m'intéresser à toi — c'est de savoir si tu regrettes ce que tu as fait, si tu ne peux pas ne pas y penser, si tu es malade d'y penser... Le remords, quoi, le remords ! Ça existe, le remords !

Il se leva, emporté, fit le tour du rond-de-fusains en essuyant son front sur sa manche.

— Ah ! dit Camille d'un air contrit et apprêté, naturellement, voyons... J'aurais mille fois mieux aimé ne pas le faire... Il a fallu que je perde la tête...

— Tu mens ! cria-t-il en étouffant sa voix. Tu ne regrettes que d'avoir raté ton coup ! Il n'y a qu'à t'entendre, qu'à te voir, avec ton petit chapeau de côté, tes gants, ton tailleur neuf, tout ce que tu as combiné pour me séduire... Si c'était vrai, ton regret, je le verrais sur ta figure, je le sentirais !

Il criait bas, d'une voix râpeuse, et n'était plus tout à fait maître de sa colère qu'il avait encouragée. L'étoffe usée de son pyjama creva au coude, et il arracha presque toute sa manche, qu'il jeta sur un buisson.

154

Camille n'eut d'abord d'yeux que pour le bras nu, singulièrement blanc sur le bloc sombre des fusains, et qui gesticulait.

Il mit les mains sur ses yeux, se força à parler plus bas.

— Une petite créature sans reproche, bleue comme les meilleurs rêves, une petite âme... Fidèle, capable de mourir délicatement si ce qu'elle a choisi lui manque... Tu as tenu cela dans tes mains, au-dessus du vide, et tu as ouvert les mains... Tu es un monstre... Je ne veux pas vivre avec un monstre...

Il découvrit son visage moite, se rapprocha de Camille en cherchant des mots qui l'accableraient. Elle respirait court, son attention allait du bras nu au visage non moins blanc, déserté par le sang.

— Une bête ! cria-t-elle avec indignation. Tu me sacrifies à une bête ! Je suis ta femme, tout de même ! Tu me laisses pour une bête !...

— Une bête ?... Oui, une bête...

Calmé en apparence, il se déroba derrière un sourire mystérieux et renseigné. « Je veux bien admettre que Saha est une bête... Si elle en est vraiment une, qu'y a-t-il de supérieur à cette bête, et comment le ferais-je comprendre à Camille ? Elle me fait rire, cette petite criminelle toute nette, toute indignée et

155

vertueuse, qui prétend savoir ce que c'est qu'une bête... » Il ne railla pas plus loin, rappelé par la voix de Camille.

— C'est toi, le monstre.

— Pardon ?

— Oui, c'est toi. Malheureusement, je ne sais pas bien expliquer pourquoi. Mais je t'assure que je ne me trompe pas. J'ai voulu, moi, supprimer Saha. Ce n'est pas beau. Mais tuer ce qui la gêne, ou qui la fait souffrir, c'est la première idée qui vient à une femme, surtout à une femme jalouse... C'est normal. Ce qui est rare, ce qui est monstrueux, c'est toi, c'est...

Elle peinait à vouloir se faire comprendre et désignait en même temps sur Alain les signes accidentels qui imposaient leur sens un peu délirant — la manche arrachée, la bouche tremblante et injurieuse, la joue où le sang ne remontait plus, la touffe insensée des blonds cheveux en tempête... Il ne protestait pas, dédaignant toute défense, et semblait perdu dans une exploration sans retour.

— Si j'avais tué, ou voulu tuer une femme par jalousie, tu me pardonnerais probablement. Mais c'est sur la chatte que j'ai porté la main, alors mon compte est bon. Et tu voudrais que je ne te traite pas de monstre...

— Ai-je dit que je le voudrais ? interrompit-il avec hauteur.

156

Elle leva sur lui ses yeux effarés, fit un geste d'impuissance. Sombre et détaché, il suivait, chaque fois qu'elle bougeait, la jeune main exécrable et gantée.

— Maintenant, pour la suite des temps, qu'est-ce qu'on va faire... Qu'est-ce qui va nous arriver, Alain ?

Il faillit gémir, débordant d'intolérance, et lui crier : « On se sépare, on se tait, on dort, on respire l'un sans l'autre ! Je me retire loin, très loin, sous ce cerisier par exemple, sous les ailes de cette pie blanche et noire, ou dans la queue de paon du jet d'arrosage... Ou bien dans ma chambre froide, sous la protection d'un petit dollar d'or, d'une poignée de reliques et d'une chatte des Chartreux... »

Il se maîtrisa et mentit posément :

— Mais rien pour l'instant. Il est trop tôt pour prendre une... une détermination... Nous verrons plus tard...

Ce dernier effort de modération et de sociabilité l'épuisa. Il trébucha dès les premiers pas, quand il se leva pour accompagner Camille, qui acceptait cette vague conciliation, avec un espoir affamé :

— C'est ça, oui, c'est trop tôt... Un peu plus tard... Reste-là, je ne me soucie pas que tu viennes jusqu'à la grille... Avec ta manche, on croirait que nous nous sommes battus... Écoute, j'irai peut-être nager un peu à Plou-

manach, chez le frère et la belle-sœur de
Patrick... Parce que rien qu'à l'idée de vivre
dans ma famille en ce moment...

— Vas-y avec le roadster, proposa Alain.

Elle rougit, en remerciant trop.

— Je te le rendrai, tu sais, dès mon retour
à Paris, tu peux en avoir besoin, n'hésite pas
à me le réclamer... D'ailleurs, je t'avertirai de
mon départ et de mon retour...

« Déjà elle organise, déjà elle jette des fils
de trame, des passerelles, déjà elle ramasse,
recoud, retisse... C'est terrible. C'est cela que
ma mère prise en elle ? C'est peut-être très
beau en effet. Je ne me sens pas plus en
mesure de la comprendre que de la récompen-
ser. Comme elle est à l'aise dans tout ce qui
m'est insoutenable... Qu'elle s'en aille maintenant, qu'elle s'en aille... »

Elle s'en allait, en se gardant de lui tendre
la main. Mais elle osa, sous l'arcade de
verdure taillée, le frôler vainement de ses
seins embellis. Seul, il s'effondra dans un
fauteuil et près de lui, sur la table d'osier,
surgit prodigieusement la chatte.

Une courbe de l'allée, une brèche dans le
feuillage permirent à Camille de revoir, à
distance, la chatte et Alain. Elle s'arrêta
court, eut un élan comme pour retourner sur
ses pas. Mais elle ne balança qu'un moment,

et s'éloigna plus vite. Car, si Saha, aux aguets, suivait humainement le départ de Camille, Alain à demi couché jouait, d'une paume adroite et creusée en patte, avec les premiers marrons d'août, verts et hérissés.

Table

Imprimé en France sur Presse Offset par

BRODARD & TAUPIN

GROUPE CPI

La Flèche (Sarthe).
N° d'imprimeur : 19678 – Dépôt légal Éditeur 37542-10/2003
Édition 41
LIBRAIRIE GÉNÉRALE FRANÇAISE - 43, quai de Grenelle - 75015 Paris.

ISBN : 2 - 253 - 01171 - 1   ⟠ 30/0096/5